LE TROISIÈ

ŒUVRES DE GRAHAM GREENE

GRAHAM GREENE

Le troisième homme

suivi de
Première désillusion

NOUVELLES TRADUITES DE L'ANGLAIS
PAR MARCELLE SIBON

ROBERT LAFFONT

AVERTISSEMENT [1]

En présentant LE TROISIÈME HOMME, *à côté de* PREMIÈRE DÉSILLUSION, *deux textes qui, l'un et l'autre, ont servi d'argument à des films, il importe de préciser un point.* LE TROISIÈME HOMME *a été écrit pour l'écran : on a demandé à Graham Greene de composer une histoire dont le cadre serait une ville des pays actuellement occupés par les armées des puissances victorieuses. Le choix s'étant arrêté sur Vienne, Graham Greene s'est rendu sur place, et il a conçu ce* THIRD MAN *qui restera sans doute un des sommets de l'art de l'écran. Graham Greene a écrit directement le long récit encore inédit en anglais dont nous publions la traduction française, récit dont Carol Reed et lui-même ont extrait le scénario définitif.*

1. Cet avertissement est celui de la première édition publiée par les Editions Robert Laffont dans leur série « Divertissements ».

*S'il paraît dans notre série « Divertissements »,
c'est sur le désir exprès de l'auteur. Mais « divertissement » ne désigne pas, nécessairement,
un genre littéraire inférieur. Telles pièces de
Molière, et parmi les mieux venues, sont des
divertissements; telle musique de Mozart, aussi.
Et le grave Jean-Sébastien Bach lui-même... (rap-
pelons-nous la* Cantate sur le Départ du Frère
Bien-Aimé). *Si le drame où participent les héros
du* TROISIÈME HOMME *n'a rien, en soi, de « di-
vertissant », le romancier veut considérer
l'œuvre comme un divertissement, à cause des
circonstances où elle fut conçue.*

Tout autre est l'origine de PREMIÈRE DÉSIL-
LUSION. *C'est là le titre français du film — le
titre anglais étant* THE FALLEN IDOL —, *que nous
avons adopté pour la commodité. Mais ici,
comme d'ailleurs dans tous les autres cas où les
ouvrages de Greene ont servi de thème à des
films, le texte littéraire existait avant le film
et possède sa destinée propre.* THE BASEMENT
ROOM *parut en 1936 dans un recueil de* short
stories *portant ce titre. C'est, à notre jugement,
un des produits les plus achevés de l'art de la
nouvelle, dont la technique obéit à d'autres lois
que le roman. Graham Greene se plaît à protester que cette technique lui est moins fami-*

lière. Le lecteur jugera, sans doute, qu'il n'y
paraît point ici, en tout cas. Et s'il a vu le film,
les différences ne manqueront pas de lui apparaître, entre le scénario et la nouvelle, mais
aussi la puissance de suggestion de cette dernière. Il trouvera là une occasion de confronter
les lois différentes qui commandent deux esthé-
tiques.

A. P.

LE TROISIÈME HOMME

CHAPITRE PREMIER

On ne sait jamais quand le coup va tomber. Après ma première rencontre avec Rollo Martins, j'établis sa fiche comme suit pour mes dossiers de police : « Dans des circonstances normales, bon vivant, pas très malin. Boit trop et pourrait causer des ennuis. Chaque fois qu'une femme passe, il lève les yeux et fait une remarque, mais j'ai l'impression qu'en réalité il préfère rester tranquille. N'est jamais vraiment devenu adulte, et sans doute est-ce la raison de son adoration pour Lime. » J'avais écrit cette phrase : « Dans des circonstances normales », parce que ma première rencontre avec lui se place à l'enterrement de Lime. On était en février, et, au cimetière central de Vienne, les fossoyeurs avaient dû se servir de perceuses électriques pour ouvrir le sol glacé. On aurait dit que la nature elle-même faisait de son mieux pour rejeter Lime mais nous finîmes par le voir descendre dans le trou, et les mottes de terre retombèrent sur lui comme des briques. Quand la tombe fut refermée, Rollo Martins s'éloigna rapidement : ses longues jambes dégingandées semblaient avoir envie de prendre le pas de course, tandis que des larmes de petit garçon coulaient sur ses joues de trente-cinq ans. Rollo Martins croyait à l'amitié, et c'est pourquoi ce qui se produisit par la suite fut un choc plus dur pour lui qu'il ne l'aurait été pour vous et moi (vous, parce que vous auriez appelé ça une illusion, et moi, parce qu'une explication rationnelle, même fausse, se serait tout de suite présentée à mon esprit). Si seulement il était venu se confier à moi dès ce moment-là, que de complications nous aurions pu éviter!

Pour comprendre cette étrange et assez triste histoire, il faut que vous ayez au moins une idée du décor où elle se passe : cette lugubre ville de Vienne en ruines, divisée par les quatre puissances en quatre zones : russe, britannique, américaine, française, délimitées par un simple écriteau; puis, au centre de la ville, à l'intérieur du Ring, avec ses lourds monuments publics et sa statuaire caracolante, le *Inner Stadt*, zone internationale sous contrôle des quatre

puissances. Dans cet *Inner Stadt* autrefois élégant, les puissances prennent la « présidence »,
comme nous disons, à tour de rôle, un mois chacune, et doivent assurer la sécurité. Le soir, si
vous avez la stupidité d'aller gaspiller vos schillings autrichiens dans une boîte de nuit, il est
à peu près certain que vous verrez fonctionner
la Patrouille internationale, quatre polices militaires, une par puissance, et communiquant
entre elles, lorsqu'elles communiquent, dans la
langue de leurs ennemis. Je n'ai pas connu le
Vienne d'entre les deux guerres et je suis trop
jeune pour me souvenir du Vienne d'autrefois,
ce Vienne de la musique de Strauss au charme
facile et factice; pour moi. ce n'est qu'une ville
faite de ruines sans dignité qui furent trans-
formées ce mois de février en grands icebergs
couverts de neige. Le Danube était un fleuve
gris, plat et boueux qui traversait très loin de
là le second *Bezirk,* la zone russe où gisait le
Prater écrasé, désolé, envahi d'herbes folles, au-
dessus duquel la Grande Roue tournait lentement parmi les fondations des manèges de chevaux de bois, semblables à des meules aban-
données, de la ferraille rouillée de tanks détruits
que personne n'avait déblayés. et d'herbes brû-
lées par le gel aux endroits où la couche de

neige était mince. Je n'ai pas assez d'imagination pour voir cette ville sous son aspect d'autrefois, pas plus que je ne puis imaginer l'hôtel
Sacher autrement que comme un hôtel de transit
pour les officiers anglais, ou croire que la Kaertnerstrasse était une rue de boutiques élégantes
au lieu de n'exister sur sa plus grande longueur
qu'à hauteur des yeux, ou reconstruite jusqu'au
premier étage. Un soldat russe en bonnet de
fourrure passe, un fusil sur l'épaule, et des
hommes en pardessus boivent à petits coups un
ersatz de café derrière les vitres du Old Vienna.
Voici à peu près le Vienne où Rollo Martins
arriva le 7 février de l'année dernière. J'ai
reconstitué l'histoire du mieux que j'ai pu,
d'après mes fiches et d'après ce que m'a raconté
Martins. Elle est aussi exacte que possible. Je
n'ai pas inventé une seule ligne de nos dialogues
mais je ne puis garantir la mémoire de Martins; c'est une vilaine histoire si l'on en sup-
prime la jeune fille; ce serait une histoire triste,
sinistre, dont rien ne rachèterait la mélancolie,
n'était cet épisode absurde du conférencier des
Relations culturelles britanniques.

UN sujet britannique peut encore voyager s'il se contente de n'emporter que cinq livres d'argent anglais avec l'interdiction de les dépenser à l'étranger, mais si Rollo Martins n'avait pas reçu une invitation de Lime il n'aurait pas été autorisé à pénétrer en Autriche car elle est encore considérée comme territoire occupé. Lime avait suggéré que Martins pourrait faire « un papier » sur la situation des réfugiés internationaux, et bien que ce ne fût pas le genre habituel de Martins, celui-ci avait consenti. Cela lui servirait de vacances et il avait grand besoin de vacances après l'incident de Dublin et l'incident d'Amsterdam; il essayait toujours de chasser les femmes de ses pensées en les qualifiant d' « incidents », c'étaient des choses qui lui arrivaient par hasard sans l'intervention de sa volonté, des cas fortuits, comme disent les agents d'assurances. Il avait, à son arrivée à Vienne, un

air traqué et l'habitude de regarder sans arrêt
par-dessus son épaule qui me le rendirent très
suspect jusqu'au moment où je compris qu'il
vivait dans la terreur de voir surgir inopinément au moins six personnes, une à une. Il me
raconta vaguement qu'il avait « mélangé ses
boissons », ce qui était une autre de ses façons
de s'exprimer.

Le genre habituel de Rollo Martins était le
petit feuilleton de cow-boys, le western bon
marché, sous couverture de papier glacé, qu'il
signait du nom de Buck Dexter. Il touchait un
public vaste, mais peu rémunérateur. Il n'aurait
jamais eu les moyens de venir à Vienne si Lime
ne lui avait assuré qu'il lui paierait ses frais
de séjour sur un vague budget de propagande.
Il pourrait aussi, avait-il dit, lui fournir des
« Bafs » de papier, la seule monnaie employée,
à partir d'un sou, dans les hôtels et les clubs
britanniques C'est ainsi que Martins arriva à
Vienne nanti de cinq billets d'une livre impos-
sibles à dépenser, et rien d'autre.

Un incident bizarre s'était produit à Francfort où l'avion de Londres s'était posé pendant
une heure. Martins mangeait une saucisse dans
la cantine américaine (une bienveillante compagnie aérienne fournissait aux voyageurs un bon

de nourriture de 65 *cents*) quand un homme en
qui, à vingt pas, il put reconnaître un journaliste, s'approcha de sa table.

« Mr. Dexter? demanda-t-il.

— Oui, répondit Martins, pris au dépourvu.

— Vous avez l'air plus jeune que sur vos
photographies, dit l'homme. Voulez pas faire une
déclaration? ajouta-t-il. Je représente la presse
des forces locales ici; nous voudrions savoir ce
que vous pensez de Francfort.

— J'ai atterri voici dix minutes.

— C'est juste. Alors, votre opinion sur le
roman américain?

— Je n'en lis jamais, répondit Martins.

— Humour piquant bien connu », commenta
le journaliste.

Il montra un petit homme aux cheveux gris,
aux canines saillantes.

« Savez-vous par hasard si c'est Carey?

— Non. Quel Carey?

— J. G. Carey, naturellement.

— Jamais entendu parler de lui.

— Vous autres, romanciers, qui vivez en
dehors du monde. En réalité, c'est lui que je
cherchais. »

Et Martins le vit traverser la pièce dans la
direction du grand Carey, qui l'accueillit avec

un sourire stéréotypé de cabotin en reposant la
salière. Le journaliste n'était pas venu exprès
pour Dexter, mais Martins ne pouvait s'empêcher d'être assez fier, personne ne l'ayant encore
qualifié de romancier; et ce sentiment d'importance et de fierté atténua sa déception lorsqu'il
s'aperçut que Lime n'était pas venu l'attendre
à l'aéroport. Nous n'arrivons jamais à nous faire
à l'idée que nous comptons moins pour les
autres qu'ils ne comptent pour nous. Il sentit
la morsure aiguë de cette souffrance : ne manquer à personne, au moment où il se trouva
debout à côté de l'autocar, à regarder tomber la
neige poudreuse, si fine et douce que les grands
entassements blancs qui gisaient parmi les ruines
en prenaient un air définitif, comme s'ils
n'étaient pas du tout la conséquence de cette
chute légère, mais appartenaient au système
permanent des neiges éternelles.

Pas de Lime pour l'accueillir à l'hôtel Astoria
où l'autocar le conduisit, pas le moindre message... rien qu'une petite lettre énigmatique
adressée à Mr. Dexter par quelqu'un qu'il ne
connaissait pas, du nom de Crabbin. « Nous
vous attendions par l'avion de demain. Ayez
la bonté de rester où vous êtes. Ne vous éloignez
pas. Chambre retenue à l'hôtel », mais Rollo

Martins n'était pas le genre d'homme qui reste où il est. Quand on « reste » dans un salon ou un vestibule d'hôtel, il arrive tôt ou tard un incident : on « mélange les boissons ». Je peux encore entendre Rollo Martins me dire :

« J'en ai fini des incidents. Je ne veux plus d'incidents », avant de se plonger tête première dans le plus sérieux de tous ses « incidents ». Il y avait chez Rollo Martins un incessant conflit entre son absurde nom de baptême et le solide patronyme hollandais que portait sa famille depuis quatre générations. Rollo lorgnait toutes les femmes qui passaient et Martins renonçait à elles pour toujours. Je ne sais lequel des deux écrivait les westerns.

Martins était en possession de l'adresse de Lime et n'avait pas la moindre curiosité de connaître l'homme qui s'appelait Crabbin. Il était tout à fait évident que cet homme se méprenait, mais Rollo ne fit aucun rapprochement avec la conversation de Francfort. Lime lui avait écrit qu'il pourrait le loger chez lui; il avait, dans un quartier excentrique de Vienne, un grand appartement réquisitionné à son propriétaire nazi. Lime pourrait payer le chauffeur à l'arrivée, aussi Martins se fit-il conduire en taxi dans la rue... située dans la zone britannique.

Il fit attendre la voiture pendant qu'il montait au troisième étage.

Comme on est vite sensible au silence, même dans une ville aussi silencieuse que Vienne, sous les flocons de neige qui tombent régulièrement! Martins n'était pas arrivé au second étage qu'il avait déjà la certitude qu'il ne trouverait pas Lime, mais ce silence était plus profond que la simple absence... Il savait qu'il ne trouverait Harry Lime nulle part à Vienne, et lorsqu'il atteignit le troisième palier et vit un grand nœud noir au bouton de la porte, il comprit qu'il ne le rencontrerait plus sur terre. Evidemment, la personne morte aurait pu être la cuisinière, une femme de charge, n'importe qui sauf Harry Lime, mais Rollo Martins savait bien, il le savait depuis les vingt dernières marches, que Lime, le Lime qui depuis vingt années avait été son héros (depuis leur première rencontre dans un sombre corridor d'école tandis qu'une cloche fêlée sonnait l'heure de la prière), avait disparu. Martins ne se trompait pas, il ne se trompait pas tout à fait. Quand il eut appuyé sur la sonnette une douzaine de fois, un petit homme à l'air hargneux sortit la tête par la porte d'un autre appartement et lui dit d'une voix exaspérée :

« C'est pas la peine de sonner comme ça. Il n'y a personne. Il est mort.

— Herr Lime?

— Bien entendu, Herr Lime. »

Martins me confia dans la suite :

« D'abord, ces paroles n'eurent aucun sens pour moi. Ce n'était qu'un petit renseignement du genre des faits divers qui s'intitulent « Nouvelles brèves » dans le *Times*. Je lui répondis : « Quand est-ce arrivé? Comment?

« — Il a été renversé par une voiture, ré-« pondit l'homme. Jeudi dernier. »

« Il ajouta ensuite, d'un ton renfrogné, comme si vraiment ce détail ne le regardait pas :

« — On l'enterre cet après-midi. Vous les « avez manqués de peu.

« — Qui?

« — Oh! deux de ses amis et le cercueil.

« — On ne l'avait pas transporté à l'hôpital?

« — A quoi bon le transporter à l'hôpital? Il « a été tué ici, devant sa propre porte; mort sur « le coup. Le garde-boue de droite l'a heurté à « l'épaule et l'a fait rouler en avant comme un « lapin. »

Ce fut à ce moment-là, me rapporta Martins,

au moment où l'homme prononça le mot lapin, que le mort se remit à vivre, que Harry Lime devint le petit garçon porteur d'un fusil et qui avait appris à Martins le moyen d'« emprunter » une arme; ce petit garçon surgit entre les longs terriers sablonneux de la lande de Brickworth, en criant : « Tire, imbécile, tire! Là. » Et le lapin, blessé par Martins, s'enfuit en boitant dans son gîte.

« Où l'enterre-t-on? demanda-t-il à l'étranger du palier.

— Au cimetière central. Ils auront du mal avec cette gelée. »

Martins ne savait pas du tout comment il allait pouvoir payer son taxi; en fait, il se demandait où il trouverait à Vienne une chambre pour cinq livres anglaises, mais avant de chercher la solution de ce problème il lui fallait accompagner Harry Lime à sa dernière demeure. Il remonta dans son taxi et se fit conduire hors de la ville, dans la banlieue (zone britannique) où se trouvait le cimetière central. Il traversa, pour y arriver, la zone russe et, par un raccourci, une partie de la zone américaine facile à reconnaître aux nombreux bars où l'on vendait de la crème glacée. Les tramways longeaient le haut mur du cimetière central et,

de l'autre côté des rails, sur un parcours de près
de deux kilomètres, les boutiques alternées des
marbriers et des horticulteurs, chaîne en appa-
rence ininterrompue de monuments funéraires
attendant leurs occupants et de couronnes attendant les gens du convoi.

Martins n'avait pas pensé à la taille de cet
immense parc couvert de neige où l'appelait son
dernier rendez-vous avec Lime. C'était comme
si Harry lui avait laissé ce message : « Nous
nous retrouverons à Hyde Park », sans fixer
l'endroit précis entre la statue d'Achille et Lan-
caster Gate. Les allées bordées de tombes, chaque
allée numérotée et correspondant à une lettre,
s'étendaient en tous sens comme les rayons d'une
roue énorme; le taxi fit huit cents mètres vers
l'ouest, tourna et fit huit cents mètres vers le
nord, tourna vers le sud... La neige donnait
aux grands et pompeux tombeaux de famille
une allure de comédie burlesque; un toupet
blanc glissait de guingois sur un visage d'ange;
un saint s'ornait d'une épaisse moustache glacée
et l'on voyait un tas de neige posé de façon
bouffonne sur le buste d'un haut fonctionnaire
nommé Wolfgang Gottmann. Même ce cimetière se divisait en zones attribuées aux différentes puissances : la zone russe était recon-

naissable à ses énormes statues de guerriers en
armes, la française à ses rangées de croix de
bois anonymes et à un drapeau tricolore fatigué
et dépenaillé. Martins se rappela tout à coup
que Lime était catholique et ne serait sans doute
pas, pour cette raison, enterré dans la zone britannique où ils le cherchaient en vain. Ils firent
donc demi-tour et se trouvèrent au cœur d'une
forêt où les tombes étaient tapies sous les arbres
comme des loups montrant leurs yeux blancs
dans l'ombre des taillis caducs. A un endroit,
ils virent émerger d'un bouquet d'arbres un
groupe de trois hommes, vêtus d'étranges uni-
formes noir et argent et de tricornes XVIIIe siècle,
poussant une espèce de brouette, qui traversèrent
une allée cavalière de cette forêt de sépultures
et disparurent.

Ce fut par simple hasard qu'ils retrouvèrent
l'enterrement avant la fin; un coin exigu de
l'immense parc où l'on avait balayé la neige, un
petit groupe de personnes, réunies évidemment
pour une affaire extrêmement privée. Un prêtre
venait de finir de parler, ses dernières phrases
glissaient comme une confidence à travers la
neige fine et patiente, et l'on s'apprêtait à descendre un cercueil dans la fosse. Deux hommes
en complet veston étaient debout au bord du

trou : l'un tenait une couronne qu'il avait visi-
blement oublié de jeter sur le cercueil, car,
lorsque son compagnon lui poussa le coude, il
sortit de sa torpeur avec un sursaut et laissa
tomber les fleurs. Une jeune fille se tenait un
peu à l'écart, la figure cachée dans les mains,
et moi,. j'étais debout à une vingtaine de mètres,
près d'un autre tombeau, à regarder avec soulagement le départ définitif de Lime, en notant
soigneusement dans ma mémoire le nom des
gens qui se trouvaient là. Pour Martins, je
n'étais qu'un homme vêtu d'un imperméable. Il
vint à moi et dit :

« Pourriez-vous me dire qui l'on a enterré
là?

— Un type du nom de Lime », répondis-je,
tout surpris de voir monter des larmes dans les
yeux de cet étranger : il n'avait pas l'air d'un
homme qui a l'habitude de pleurer... sincère-
ment, avec de vraies larmes. Il y avait la jeune
fille bien sûr, mais l'on exclut toujours les
femmes de ces généralisations.

Martins resta là, debout près de moi, jusqu'à
la fin. Il me confia plus tard qu'étant un vieil
ami, il ne voulait pas s'imposer aux nouveaux
amis de Lime. Sa mort leur appartenait, il la
leur laissait. Il lui restait l'illusion sentimentale

que la vie de Lime — vingt années de cette vie,
en tout cas — lui appartenait, à lui. Dès que la
cérémonie fut terminée (je ne suis pas pieux et
tous les embarras dont on entoure la mort
m'agacent toujours), Martins partit au pas
allongé de ses hautes jambes maigres qui donnaient l'impression qu'elles menaçaient de s'en-
chevêtrer, et se dirigea vers son taxi; il ne
fit aucun effort pour parler aux autres, et ses
larmes avaient fini par couler vraiment, du
moins il répandait les quelques gouttes avares
que nous sommes capables de distiller à notre
âge.

Une fiche de police, vous le savez, n'est jamais
complète; une affaire n'est jamais vraiment
classée, même après la mort de tous ceux qui y
furent impliqués. Aussi suivis-je Martins; je
connaissais les trois autres, je voulais connaître
l'étranger. Je le rattrapai à côté de son taxi et
lui dis :

« Je n'ai pas de voiture. Voudriez-vous me
ramener en ville?

— Naturellement », répondit-il.

Je savais qu'à la sortie, le chauffeur de ma
jeep me repérerait et nous suivrait discrète-
ment. Quand nous nous éloignâmes, je remar-
quai que Martins ne se retournait jamais. Ce

sont presque toujours ceux qui feignent la douleur, ceux qui feignent l'amour, qui jettent le
dernier coup d'œil, ou restent à agiter des mou-
choirs sur les quais de gare, au lieu de disparaître très vite, sans regarder en arrière. C'est
peut-être parce qu'ils s'aiment tellement qu'ils
veulent s'exposer le plus longtemps possible à la
vue des autres, même des morts?

« Je m'appelle Calloway, dis-je.

— Martins, dit-il.

— Vous êtes un ami de Lime?

— Oui. »

Ces huit derniers jours, la plupart des gens
auraient hésité avant de l'admettre.

« Ici depuis longtemps?

— Je ne suis arrivé d'Angleterre que cet
après-midi. Harry m'avait invité à venir le retrouver. Je n'étais pas au courant.

— C'est un coup dur.

— Ecoutez, me dit-il; j'ai rudement besoin
de boire, mais je n'ai pas le sou : sauf cinq livres
sterling. Je vous serais très reconnaissant si vous
me payiez un verre. »

A mon tour, je répondis : « Naturellement. »
Je réfléchis une minute et donnai au chauffeur
l'adresse d'un petit bar dans la Kaertnerstrasse.
Je ne pensais pas qu'il eût envie de se montrer,

pour le moment, au milieu de la foule d'un bar anglais plein d'officiers de passage accompagnés de leurs femmes. Mon bar, peut-être à cause de ses prix exorbitants, abritait rarement à la fois plus de clients qu'un unique couple très occupé de lui-même. L'ennui était que la boisson qu'on y versait était, elle aussi, unique : une liqueur au chocolat très sucrée qu'à prix d'or le garçon améliorait avec du cognac, mais j'eus l'impression que Martins accepterait n'importe quelle boisson à condition qu'elle jetât un voile sur le présent... et le passé. Il y avait à la porte l'inévitable écriteau disant que le bar était ouvert de six heures à dix heures, mais l'on n'avait qu'à pousser la porte et à traverser les deux premières pièces. On nous donna une petite salle rien que pour nous; le couple habituel était dans la pièce à côté, et le garçon qui me connaissait nous laissa seuls en face de quelques sandwiches au caviar. Heureusement que le garçon et moi, nous savions tous les deux que j'avais des frais de représentation.

Après avoir avalé d'un trait son second verre, Martins dit :

« Excusez-moi, mais c'était le meilleur ami que j'ai jamais eu. »

Je ne pus m'empêcher de répondre, sachant

ce que je savais, et parce que j'avais envie de
le blesser (on apprend beaucoup de choses par
ce procédé) :

« C'est une phrase de roman bon marché.

— J'écris des romans bon marché », répliqua-
t-il très vite.

J'avais toujours recueilli ce renseignement.
Jusqu'à son troisième verre, je conservai l'impression qu'il ne parlait pas facilement; mais
j'étais à peu près certain qu'il appartenait au
type de buveurs qui deviennent méchants au
quatrième verre.

« Parlez-moi de vous, dis-je, et de Lime.

— Un moment, fit-il, il me faut absolument
un verre de plus, et je ne peux pas continuer à
vivre aux crochets d'un type que je ne connais
pas. Pourriez-vous m'échanger une livre ou deux
contre de l'argent autrichien?

— Ne vous en faites pas, dis-je en appelant
le garçon. Vous me revaudrez ça quand je vien-
drai à Londres en permission. Vous alliez me
raconter comment vous aviez connu Lime. »

Le verre de liqueur au chocolat aurait pu
être une boule de cristal à la façon dont il le
regardait et le faisait tourner dans un sens, puis
dans l'autre.

« Il y a très longtemps, dit-il. Je ne crois pas

que personne connaisse Harry aussi bien que moi. »

Je pensai à l'épais dossier qui, dans mon bureau, contenait tous les rapports des agents, dont chacun prétendait à la même connaissance. J'ai foi dans mes agents : je les ai passés au crible très soigneusement.

« Combien de temps?

— Vingt ans... et même un peu plus. Nous nous sommes connus à mon premier trimestre a l'école. Je vois encore l'endroit où je l'ai rencontré. Je revois le tableau d'affichage et ce qui était écrit dessus. J'entends encore sonner la cloche. Il était mon aîné d'un an et il savait manœuvrer. Il m'a mis au courant d'un tas de choses. »

Il avala une gorgée rapide d'alcool et se remit à faire tourner le cristal comme pour voir plus clairement ce qu'il y avait à voir.

« C'est drôle, dit-il, je ne me rappelle pas aussi bien ma première rencontre avec aucune femme.

— Etait-ce un bon élève?

— Pas suivant la conception des maîtres. Mais quelles choses il inventait! Il trouvait d'extraordinaires combinaisons. J'étais bien meilleur que Harry en histoire et en géographie;

mais pour ce qui était de mettre à exécution ses projets. j'étais la poire intégrale. »

Il éclata de rire : il commençait déjà, avec l'aide de l'alcool et de la conversation, à se remettre du choc de la mort de Lime.

« C'est toujours moi qui me faisais prendre! dit-il.

— C'était bien commode pour Lime.

— Qu'est-ce que vous voulez dire? demanda-t-il, l'irritation alcoolique montant.

— Que c'était bien commode. Ce n'est pas vrai?

— C'était ma faute, ce n'était pas la sienne. Il aurait pu trouver quelqu'un de plus astucieux s'il avait voulu, mais il m'aimait bien. Il avait avec moi une patience inlassable. »

Certes, pensai-je, l'homme est en germe dans l'enfant, car j'avais moi aussi trouvé Lime très patient.

« Quand l'avez-vous vu pour la dernière fois?

— Oh! il y a six mois, il est venu à Londres pour un congrès médical. Vous savez qu'il avait le titre de docteur sans jamais pratiquer. Cela le peint bien. Il voulait toujours savoir s'il était capable de faire une chose et la chose faite il s'en désintéressait. Mais il trouvait souvent ça utile, à ce qu'il disait. »

Et cela aussi était vrai. C'est étrange comme
le Lime qu'il avait connu ressemblait au Lime
que j'avais connu; il regardait simplement
l'image de Lime d'un angle différent ou sous
une lumière différente.

« Une des choses que j'aimais chez Harry,
c'était son sens du comique, dit-il avec un sourire qui lui enleva cinq ans d'âge. Moi, je suis
un rigolo, j'aime bien faire l'imbécile, mais
Harry avait vraiment de l'esprit. Savez-vous
qu'il aurait pu écrire de la musique légère
de tout premier ordre, s'il avait voulu s'y
mettre? »

Il se mit à siffler un air qui me parut étran-
gement familier.

« Je n'ai jamais oublié ce petit air, dit-il. J'ai
vu Harry l'écrire. Comme ça, en deux minutes,
sur le dos d'une enveloppe. Il le sifflotait toujours quand il avait une préoccupation. Ces
quelques notes étaient sa signature. »

Il fredonna l'air une seconde fois, et je me
rappelai de qui était cette musique : naturellement Harry ne l'avait pas composée. Je fus sur
le point de le lui dire, mais à quoi bon? Les
dernières notes moururent. Il regarda fixement
son verre, vida les rares gouttes qui y restaient
et dit :

« C'est révoltant de penser qu'il est mort comme ça.

— C'est la meilleure chose qui pouvait lui arriver », répondis-je.

Il ne comprit pas tout de suite ce que je venais de dire. L'alcool lui avait légèrement embrumé le cerveau.

« La meilleure chose?

— Oui.

— Vous voulez dire qu'il n'a pas souffert?

— C'est une autre chance qu'il a eue en effet. »

Ce fut mon ton de voix qui éveilla l'attention de Martins, et non mes paroles. Il me demanda d'un air doux et dangereux (je vis son poing droit se serrer) :

« Qu'est-ce que signifie cette insinuation? »

Il est tout à fait inutile de faire preuve de courage physique sans discernement : je reculai ma chaise assez loin pour me trouver hors de portée de son poing avant de dire :

« Cela signifie que son dossier de police est complet au commissariat central, c'est moi qui l'ai. Il n'y coupait pas d'une longue, d'une très longue peine, s'il n'avait pas eu cet accident.

— A propos de quoi?

— C'était sans contredit le plus immonde trafiquant du pire marché noir qui se fasse dans cette ville. »

Je le vis mesurer de l'œil la distance qui nous séparait et décider que de l'endroit où il était assis il ne pouvait pas m'atteindre. Rollo aurait voulu bondir, mais Martins, calme et pondéré, Martins — je m'en rendis compte — était dangereux. Je commençai à me demander si je ne m'étais pas grossièrement trompé. Je ne pouvais croire que Martins fût tout à fait la poire que Rollo venait de me décrire.

« Vous êtes un policier? me dit-il.

— Oui.

— J'ai toujours détesté les gens de la police : quand ils ne sont pas malhonnêtes, ils sont idiots.

— C'est ce genre de livres que vous écrivez? »

Je vis qu'il faisait glisser sa chaise afin de me barrer la sortie. Mon regard attira l'œil du garçon qui comprit immédiatement. C'est l'avantage de donner ses rendez-vous toujours dans le même bar.

« Je suis forcé de les appeler shérifs », dit Martins d'une voix douce, en parvenant à sourire superficiellement.

« Vous avez vécu en Amérique? »

Cette conversation était idiote.

« Non. Est-ce un interrogatoire?

— L'intérêt que je vous porte.

— Parce que si Harry était une fripouille de cette espèce, alors moi, j'en suis une aussi. Nous avons toujours travaillé ensemble.

— Je pense en effet qu'il avait l'intention de vous faire entrer, je ne sais comment, dans son organisation. Je croirais assez qu'il voulait vous faire tenir la chandelle. Vous venez de me dire qu'à l'école c'était la méthode qu'il employait, n'est-ce pas? Et justement, voyez-vous, le proviseur commençait à se douter d'une ou deux petites choses.

— Ah! vous êtes bien comme les autres, vous! Je suppose que vous avez découvert un truc sordide d'essence au marché noir, et comme vous n'avez pas été fichu de trouver le coupable, vous vous acharnez sur un mort. Procédé classique dans la police. Dites-moi, vous êtes un vrai policier, au moins?

— Oui. Scotland Yard, mais quand je suis de service, on me met un uniforme de colonel. »

Il se trouvait alors entre la porte et moi. Je ne pouvais pas m'éloigner de la table sans entrer dans son champ. Je n'ai pas le goût de la bagarre; d'ailleurs Martins me dépassait de plusieurs centimètres.

« Ce n'était pas de l'essence, dis-je.

— Pneus, saccharine... pourquoi est-ce que les policiers n'attrapent pas quelques assassins, pour changer?

— Dans le cas de Lime, on pourrait dire que le meurtre faisait partie de son racket. »

Il renversa la table et lança son poing dans ma direction. L'alcool brouilla ses calculs. Avant qu'il eût pu bondir une seconde fois, mon chauffeur l'avait empoigné à pleins bras.

« Ne le bousculez pas trop, dis-je, ce n'est qu'un écrivain pris de boisson.

— Voulez-vous rester tranquille, monsieur », dit mon chauffeur qui avait un sens exagéré du respect qu'on doit à son officier et aux gens de la même classe. Il est probable qu'il aurait appelé Lime « monsieur ».

« Ecoutez-moi, Callaghan... si c'est votre nom, enfant de salaud...

— Calloway. Je suis Anglais, je ne suis pas Irlandais.

— Je vais tout faire pour que vous soyez la risée de Vienne. La ville entière se foutra de vous et, en tout cas, il y a un homme mort que je ne vous laisserai pas incriminer parce que vous êtes trop bête pour trouver le coupable.

— Je vois. C'est vous qui allez retrouver le

vrai criminel. Exactement comme dans vos feuil-
letons.

— Vous pouvez me laisser partir, Callaghan.
J'aime mieux étaler en public votre crétinisme
plutôt que de vous mettre un œil au beurre
noir. Un œil au beurre noir vous tiendrait simplement quelques jours au lit, mais quand j'en
aurai fini avec vous, il ne vous restera plus qu'à
quitter Vienne. »

Je sortis de mon portefeuille la valeur de deux
livres anglaises en argent d'occupation et les lui
fourrai dans la poche de son veston.

« Ceci vous suffira pour ce soir, lui dis-je, et
je vais m'assurer qu'on vous réserve une place
dans l'avion de Londres de demain.

— Vous ne pouvez. pas me faire expulser.
Mes papiers sont en règle.

— Oui, mais ici comme partout ailleurs, on
a besoin d'argent. Si vous changez votre monnaie anglaise au marché noir, je vous rattra-
perai en moins de vingt-quatre heures. Lâ-
chez-le. »

Rollo Martins remit de l'ordre dans ses vêtements.

« Merci pour les consommations, dit-il.

— Il n'y a pas de quoi.

— Je suis content de ne pas avoir à vous

être reconnaissant. Je suppose que c'est sur votre note de frais?

— Exactement.

— Je vous reverrai dans une semaine ou deux, quand je me serai procuré quelques tuyaux. »

Je savais qu'il était en colère, je ne savais pas qu'il parlait sérieusement. Je croyais qu'il jouait la comédie pour remonter dans sa propre estime.

« J'irai peut-être vous voir monter en avion, demain.

— Ne perdez pas votre temps, je n'y serai pas.

— Paine, que voici, va vous conduire jusqu'à l'hôtel Sacher. Vous y trouverez une chambre et à dîner, j'y veillerai. »

Il fit un pas de côté comme pour laisser passer le garçon et me lança un coup violent. Je l'évitai de justesse mais trébuchai contre la table. Avant qu'il eût le temps de recommencer, Paine lui avait flanqué son poing en pleine mâchoire. Martins s'écroula entre les tables et lorsqu'il se releva sa lèvre coupée saignait.

« Je croyais, dis-je, que vous aviez promis de ne pas vous battre! »

Il essuya un peu de sang sur sa manche et dit :

« Oh! non, j'ai dit que je préférais démasquer

votre imbécillité, mais je n'ai pas dit que je ne vous mettrais pas aussi un œil au beurre noir! »

Ma journée avait été longue, et j'en avais assez de Rollo Martins. Je dis à Paine : « Rentrez-le au Sacher sans encombre. S'il se conduit bien, ne le frappez plus. » Je leur tournai ensuite le dos à tous les deux pour me diriger vers le bar intérieur, car j'avais bien mérité de boire un verre de plus. J'entendis alors Paine dire respectueusement à l'homme qu'il venait d'aplatir d'un coup de poing :

« Par ici, monsieur. C'est à deux pas, après le coin de la rue. »

CHAPITRE III

Ce qui se passa ensuite, ce ne fut pas par Paine que je le sus, mais très longtemps après par Martins lui-même, en reconstituant la chaîne des événements qui, en vérité, prouvèrent (mais pas de la façon qu'il avait prévue) que je m'étais laissé prendre comme un imbécile. Paine l'avait simplement accompagné jusqu'au bureau de réception de l'hôtel où il avait expliqué :

« Ce monsieur arrive de Londres par l'avion. Le colonel Calloway a dit que vous lui donniez une chambre. »

Ceci tiré au clair, il avait ajouté : « Bonsoir, monsieur », et il était parti. Il était probablement un peu embarrassé par la lèvre en sang de Martins.

« Aviez-vous retenu votre chambre, monsieur? demanda le portier.

— Non, non, je ne crois pas, dit Martins

d'une voix étouffée parce qu'il tenait son mouchoir sur sa bouche.

— Je pensais que vous étiez peut-être
Mr. Dexter. Nous avons une chambre retenue
pour une semaine au nom de Mr. Dexter.

— Ah! dit Martins, je suis en effet M. Dexter. »

Il me raconta plus tard que l'idée lui vint
alors que Lime avait sans doute retenu la
chambre au nom de Dexter parce que c'était
Buck Dexter et non Rollo Martins qu'il avait
l'intention d'employer pour sa propagande. Une
voix s'éleva tout à coup à côté de lui.

« Je suis désolé que personne ne se soit trouvé
à l'arrivée de votre avion, Mr. Dexter. Mon nom
est Crabbin. »

Celui qui avait parlé était un gros homme,
jeune, mais plus de la première jeunesse; il
avait une tonsure naturelle et portait des lunettes entourées de la plus épaisse monture
d'écaille que Martins eût jamais vue. Il n'en
finissait pas de s'excuser :

« Quelqu'un de chez nous a téléphoné par
hasard à Francfort et il a appris que vous étiez
dans l'avion. Par une de ces erreurs stupides qui
sont courantes, on nous avait télégraphié que
vous ne viendriez pas. Le câble avait plusieurs

mots mutilés, il s'agissait de la Suède. Sitôt
que j'ai eu cette nouvelle de Francfort, j'ai
essayé d'aller vous accueillir, mais je vous ai
manqué. Avez-vous trouvé ma lettre?

— Oui, oui, répondit vaguement Martins,
d'une voix étouffée par son mouchoir.

— Puis-je vous dire tout de suite, Mr. Dexter, combien je suis ému de vous voir...

— Vous êtes bien aimable.

— Je n'étais qu'un enfant que je pensais déjà
que vous étiez le plus grand romancier de notre
siècle. »

Martins fit la grimace. Ouvrir la bouche pour
protester lui aurait fait trop mal. Il se contenta
de lancer à Mr. Crabbin un regard furibond,
mais il était impossible de soupçonner que ce
jeune homme se moquait de lui.

« Vous avez un vaste public autrichien,
Mr. Dexter, aussi bien pour vos originaux que
pour vos traductions. On lit beaucoup *La Proue
recourbée,* c'est celui que je préfère moi-
même. »

Martins réfléchissait tant qu'il pouvait.

« Vous avez dit... une chambre pour une
semaine?

— Oui.

— Très aimable de votre part.

— Mr. Schmidt que voici vous donnera tous les jours vos tickets de repas. Mais je pense que vous aurez besoin d'un peu d'argent de poche. Nous allons nous en occuper. Demain, nous avons pensé que vous aimeriez passer la journée tranquillement, à regarder autour de vous, et vous reconnaître.

— Oui.

— Bien entendu, si vous avez besoin d'un guide, nous sommes à votre disposition. Après-demain, dans la soirée, il y aura un petit débat tranquille à l'Institut, sur le roman contemporain. Nous avons pensé que vous accepteriez de dire quelques mots, pour mettre les choses en train, et de répondre ensuite aux questions. »

Martins, à ce moment-là, était prêt à accepter n'importe quoi pour se débarrasser de Mr. Crabbin et aussi pour se faire loger et nourrir gratuitement pendant une semaine. Quant à Rollo, naturellement, ainsi que je le découvris plus tard, il était toujours prêt à dire oui à toute proposition, qu'il s'agît d'un verre, d'une fille, d'une blague, pour le plaisir de la nouveauté.

« Mais oui, mais oui, répondit-il dans son mouchoir.

— Excusez-moi, Mr. Dexter, avez-vous mal aux dents? Je connais un très bon dentiste.

— Non, quelqu'un m'a donné un coup de poing, voilà tout.

— Grands dieux! Est-ce qu'on a essayé de vous voler?

— Non, c'est un soldat. Je voulais casser la gueule de son colonel. »

Il écarta son mouchoir pour montrer à Crabbin sa lèvre fendue. Il me raconta que Crabbin en était resté muet de surprise. Martins, lui, ne pouvait pas comprendre cette surprise parce qu'il n'avait jamais lu les œuvres de son grand contemporain Benjamin Dexter : il ne connaissait même pas son nom. Je suis un fervent admirateur de Dexter, aussi puis-je comprendre l'ébahissement de Crabbin. Comme styliste, Dexter se place au même rang que Henry James, mais il a plus de subtilité féminine que son maître... En fait, ses ennemis ont parfois qualifié son style délicat, complexe, flottant, d'écriture de vieille fille. Chez cet homme de près de cinquante ans, l'intérêt passionné qu'il témoigne à la broderie et l'habitude qu'il a de calmer son cerveau pourtant peu tumultueux en faisant de la frivolité, sont des traits qui, tout en ravissant ses disciples, sont jugés en général comme une indiscutable marque d'affectation.

« Avez-vous jamais lu un livre intitulé *Le Cavalier solitaire de Santa Fe*?

— Non, je ne crois pas.

— Ce cavalier solitaire, dit Martins, a eu son meilleur ami tué par le shérif d'une ville appelée Lost Claim Gulch. Le livre raconte comment il pourchasse ce shérif, sans rien faire d'illégal, jusqu'à ce qu'il ait vengé son ami.

— Je n'aurais jamais cru que vous lisiez des histoires de cow-boys, Mr. Dexter, dit Crabbin, et Martins eut besoin de toute son énergie pour empêcher Rollo de répondre : « Mais j'en écris! »

— Eh bien, je vais harceler de la même manière le colonel Callaghan.

— Jamais entendu parler de lui.

— Entendu parler de Harry Lime?

— Oui, répondit Crabbin prudemment, mais je ne le connaissais pas personnellement.

— Moi si. C'était mon meilleur ami.

— Je n'aurais jamais supposé qu'il... qu'il s'intéressait à la littérature.

— Aucun de mes amis ne s'y intéresse. »

Crabbin battit nerveusement des paupières, derrière ses lunettes d'écaille.

« En tout cas, il s'intéressait au théâtre, dit-il sur un ton de conciliation. Une de ses amies, une actrice, prend des leçons de français à l'Institut. Il est venu une fois ou deux l'y attendre.

— Jeune ou vieille?

— Oh! jeune, très jeune! Actrice médiocre, à mon avis. »

Martins se rappela, à côté de la tombe, la jeune femme qui tenait son visage caché dans ses mains.

« J'aimerais connaître tous les amis de Harry, dit-il.

— Elle viendra sans doute à votre conférence.

— Autrichienne?

— Elle le prétend, mais je la crois Hongroise. Elle travaille au Josephstadt. Je ne serais pas surpris d'apprendre que Lime l'a aidée à se procurer des papiers. Elle se fait appeler Schmidt. Anna Schmidt. Vous n'imaginez pas une jeune actrice anglaise qui s'appellerait Smith, n'est-ce pas? Surtout qu'elle est jolie. Ce nom m'a toujours paru un peu trop anonyme pour être vrai. »

Martins sentit qu'il avait tiré de Crabbin tout ce qu'il pouvait en tirer. Aussi plaida-t-il la fatigue, une journée très chargée et, ayant accepté l'équivalent de dix livres en argent d'occupation pour ses dépenses immédiates, il monta dans sa chambre. Il pensa qu'il gagnait sa vie rapidement : douze livres en moins d'une heure.

Il était fatigué, il s'en rendit bien compte lorsqu'il s'étendit sur son lit, sans avoir retiré ses chaussures. Une minute plus tard, il était loin de Vienne et marchait dans un bois épais où ses pieds s'enfonçaient dans la neige jusqu'aux chevilles. Un hibou ulula, et Martins se sentit brusquement très seul et pas très rassuré. Il avait rendez-vous avec Harry sous un certain arbre, mais dans un bois aussi dense que celui-ci comment distinguer un arbre d'un autre? Brusquement, il aperçut une silhouette vers laquelle il courut : l'homme sifflait un air que Martins reconnut et son cœur bondit de joie et du soulagement de ne plus être seul. Mais l'autre se retourna et ce n'était pas du tout Harry, c'était un inconnu, debout au milieu d'un petit espace fangeux de neige sale et fondue, qui ricanait en regardant Martins tandis que le hibou ululait sans trêve. Martins s'éveilla en sursaut : le téléphone sonnait à côté de son lit.

Une voix où perçait une trace, rien qu'une trace d'accent étranger, demanda :

« Mr. Rollo Martins?

— Lui-même. »

Cela le changeait d'être lui-même et pas Dexter.

« Vous ne me connaissez pas, dit la voix bien inutilement, mais je suis un ami de Harry Lime. »

Cela le changeait aussi d'entendre quelqu'un se vanter d'être un ami de Harry Lime. Martins se sentit attiré vers l'étranger.

« Je serais content de vous rencontrer, dit-il.

— Je suis en ce moment au coin de votre rue, à l'Old Vienna.

— Pourrions-nous remettre à demain? J'ai eu une journée très dure pour toutes sortes de raisons.

— Harry m'a chargé de veiller à ce que vous ne manquiez de rien. J'étais auprès de lui quand il est mort.

— Je croyais... » Rollo se tut; il allait dire : « Je croyais qu'il était mort sur le coup », mais quelque chose l'avertit qu'il fallait être prudent. Il dit à la place : « Vous ne m'avez pas donné votre nom.

— Kurtz, répondit la voix. J'aurais bien proposé de venir vous voir, mais vous savez que l'entrée de l'hôtel Sacher est interdite aux Autrichiens.

— Pourrions-nous nous retrouver à l'Old Vienna dans la matinée?

— Certainement, répondit la voix, si vous

êtes *tout à fait sûr* que d'ici là vous n'avez pas besoin de moi.

— Que voulez-vous dire?

— Harry était préoccupé à la pensée que vous étiez sans le sou. »

Couché sur le dos, le récepteur à l'oreille, Rollo Martins pensait : « Il faut venir à Vienne pour faire fortune. » C'était, en moins de cinq heures, le troisième type totalement inconnu qui lui offrait de l'argent. Il répondit avec prudence :

« Oh! je peux tenir jusqu'à ce que nous nous rencontrions. »

Il ne voyait pas pourquoi il repousserait une offre intéressante avant de savoir quelle était exactement cette offre.

« Alors, si vous voulez, disons onze heures à l'Old Vienna, dans la Kaertnerstrasse? Je porterai un costume marron et je tiendrai un de vos livres à la main.

— Parfait. Comment avez-vous un de mes livres?

— C'est Harry qui me l'a donné. »

La voix avait un charme infini et paraissait fort raisonnable, mais lorsque, après avoir dit bonsoir, Martins raccrocha, il ne put s'empêcher de se demander comment il se faisait que Harry, s'il avait eu vraiment autant de lucidité avant de mourir, ne lui avait pas fait expédier un câble. Et puis, est-ce que Callaghan n'avait pas dit que Lime était mort sur le coup... ou qu'il n'avait pas souffert, ou... aurait-il mis lui-même ces paroles dans la bouche de Callaghan?

C'est à ce moment-là que s'installa fermement dans l'esprit de Martins l'idée qu'il y avait, dans la mort de Lime, quelque chose de louche, une chose que la police, trop bête, n'avait pas su y découvrir. Cette chose, il essaya de la découvrir lui-même avec l'aide de deux cigarettes, mais il s'endormit sans avoir dîné et sans avoir résolu ce mystérieux problème. Sa journée avait été longue, mais pas tout à fait assez longue pour qu'il réussît à voir clair.

« Ce qui me déplut tout de suite, me raconta Martins, ce fut son postiche. C'était une de ces « transformations » auxquelles on ne peut pas se tromper, en cheveux plats et jaunes coupés net par-derrière et qui ne colle pas très bien. Il y a forcément quelque chose de frelaté chez un homme qui n'accepte pas de bonne grâce la calvitie. Il avait, en outre, un de ces visages où les rides se sont inscrites trop soigneusement, comme un maquillage, aux bons endroits, avec l'intention d'exprimer le charme, la fantaisie, par des lignes aux coins des yeux. Il avait l'air de s'être grimé pour plaire à des écolières romanesques. »

Cette conversation se déroulait quelques jours plus tard, et quand il vint me raconter toute son histoire, les pistes en étaient déjà à peu près complètement brouillées. Au moment où il fit cette remarque sur les écolières romanesques,

je vis son regard, assez semblable à celui d'une
bête traquée, se fixer brusquement. Une jeune
fille, qui ne me parut pas différente des autres
jeunes filles, passait en se hâtant sous la fenêtre
de mon bureau, au milieu des rafales de neige.

« Joli brin de fille? » dis-je.

Il ramena vers moi son regard en disant :

« Bah! Il y a longtemps que je suis hors jeu.
Voyez-vous, Calloway, dans la vie de chaque
homme, un jour vient où l'on renonce à toutes
ces choses...

— Je vois. Il m'avait semblé que vous regar-
diez une jeune fille.

— C'est vrai. Mais je ne l'ai regardée que
parce qu'elle m'a rappelé Anna... Anna Schmidt,
pendant quelques secondes.

— Qui est-ce? N'est-ce pas justement une
jeune fille?

— Oh! oui, si l'on veut.

— Que voulez-vous dire par « si l'on veut »?

— C'était l'amie de Harry.

— Et vous allez prendre sa succession?

— Ce n'est pas ce genre de femme, Calloway. Ne l'avez-vous pas vue à l'enterrement? Je
suis décidé à ne plus « mélanger mes boissons » :
j'ai une gueule de bois qui me durera toute la
vie.

— Vous aviez commencé à me parler de Kurtz », dis-je.

Donc, il avait trouvé Kurtz, assis à une table, et lisant avec beaucoup d'ostentation *Le Cavalier solitaire de Santa Fe*. Quand Martins prit une chaise à côté de lui, Kurtz lui dit avec un enthousiasme qui sonnait extraordinairement faux :

« C'est merveilleux comme vous arrivez à tenir le lecteur en haleine.

— En haleine?

— Oui. On reste suspendu. Vous y êtes passé maître. Au bout de chaque chapitre, on est là à se demander...

— Alors, vous étiez un ami de Harry? dit Martins.

— Son meilleur, je crois — mais Kurtz ajouta après une brève hésitation pendant laquelle son cerveau enregistra sans doute l'erreur commise — : après vous, bien entendu.

— Racontez-moi comment il est mort?

— J'étais auprès de lui. Nous venions de sortir ensemble de la maison, quand Harry aperçut, de l'autre côté de la rue, quelqu'un qu'il connaissait... un Américain du nom de Cooler. Il fit un signe de la main à Cooler, et il traversait pour aller le rejoindre, quand une jeep a tourné le coin en bolide et l'a fait rouler comme une quille. C'était la faute de Harry, en réalité, pas celle du chauffeur.

— On m'a dit qu'il était mort sur le coup.

— Je voudrais que ce fût vrai. Quoi qu'il en soit, il est mort avant l'arrivée de la voiture d'ambulance.

— Alors, il pouvait parler?

— Oui, et jusqu'au milieu de ses souffrances, il se tourmentait à votre sujet.

— Qu'a-t-il dit?

— Je ne me rappelle pas ses paroles exactes, Rollo. Vous permettez, n'est-ce pas, que je vous appelle Rollo? C'est le nom qu'il vous donnait toujours quand il nous parlait de vous. Il a insisté pour que je m'occupe de vous à votre arrivée. Que je veille à ce que vous ne manquiez de rien. Que je prenne votre billet de retour... »

(Lorsqu'il me rapporta la conversation, Martins remarqua :

« Comme vous le voyez, je collectionne les billets de retour, en plus de l'argent. »)

« Mais pourquoi n'avez-vous pas câblé pour m'empêcher de venir?

— Nous l'avons fait, mais le câble ne vous a pas atteint. Entre la censure et la division en zones, il arrive que les câbles mettent jusqu'à cinq jours.

— Il y a eu une enquête?

— Naturellement.

— Est-ce que vous saviez que les gens de la police s'étaient mis en tête l'idée ridicule que Harry était impliqué dans un trafic frauduleux?

— Non. Mais tout le monde l'est, à Vienne. Nous vendons tous des cigarettes et nous échangeons des schillings contre des Bafs, l'argent d'occupation, et ainsi de suite.

— La police a parlé de quelque chose de plus grave.

— Ces gens s'imaginent parfois des choses tout à fait absurdes, dit l'homme au postiche avec circonspection.

— J'ai l'intention de rester ici jusqu'à ce que je leur aie prouvé qu'ils se trompent. »

Kurtz tourna la tête d'un geste brusque, et le postiche changea très légèrement de place.

« A quoi bon? dit-il, ça ne ressuscitera pas Harry!

— Je veux faire chasser de Vienne cet officier de police.

— Je ne vois pas comment vous pourriez vous y prendre.

— Je compte commencer mes recherches à partir du moment où Lime est mort. Vous y

étiez, vous, ce Cooler, et le chauffeur. Vous pouvez me donner leurs adresses?

— Je ne connais pas celle du chauffeur.

— Je la trouverai au commissariat. Et puis, il
y a cette jeune fille, l'amie de Harry...

— Ce sera pénible pour elle, dit Kurtz.

— Ce qu'elle ressent m'est indifférent. C'est
de Harry que je m'occupe.

— Savez-vous ce que soupçonne la police?

— Non. Je me suis mis en colère trop vite.

— Il ne vous est pas venu à l'esprit, dit
Kurtz avec douceur, que vous alliez peut-être
déterrer quelque chose de... disons de peu hono-
rable pour Harry?

— Je suis prêt à courir ce risque.

— Il vous faudra du temps et de l'argent.

— J'ai du temps, et ne m'avez-vous pas offert
de me prêter de l'argent?

— Je ne suis pas riche, dit Kurtz. J'ai promis à Harry de m'occuper de vous et de veiller
à ce que vous puissiez prendre l'avion pour rentrer en Angleterre...

— Ne vous inquiétez ni de l'argent ni de
l'avion, répondit Martins. Mais je vous parie,
cinq livres sterling contre deux cents schillings,
qu'il y a quelque chose de louche dans la mort
de Harry. »

Il avait lancé son coup à l'aveugle, et bien
qu'il eût déjà instinctivement le sentiment sûr
qu'il y avait quelque chose de louche, il n'avait
pas encore attaché à cette certitude le nom de
« meurtre ». Kurtz tenait une tasse de café où
il allait tremper ses lèvres. Martins l'observa.
Le coup, apparemment, avait raté son but. Sans
le moindre trouble, d'une main qui ne tremblait
pas, Kurtz porta la tasse à sa bouche et but, un
peu trop bruyamment, à longues gorgées. Puis,
il reposa sa tasse et demanda :

« Que voulez-vous dire par « quelque chose
« de louche »?

— La police a trouvé commode d'avoir un
cadavre, mais n'était-ce pas tout aussi commode
pour les vrais trafiquants? »

Après avoir parlé, il se rendit compte, qu'après
tout, la déclaration qu'il avait lancée au petit bonheur n'avait pas laissé Kurtz insensible :
la prudence et le sang-froid l'avaient pétrifié.
Les mains du coupable ne tremblent pas nécessairement, et ce n'est que dans les romans qu'un
verre, en tombant, trahit une émotion. La ten-
sion se révèle souvent mieux par un geste calculé. Kurtz acheva son café comme si rien n'avait
été dit.

« Enfin, murmura-t-il en aspirant une dernière gorgée, il va de soi que je vous souhaite bonne chance, bien que je ne voie vraiment pas ce que vous pourriez découvrir. Si vous avez besoin d'aide, faites appel à moi.

— Je veux l'adresse de Cooler.

— Certainement. Je vais vous l'écrire. Voici. C'est dans la zone américaine.

— Et la vôtre?

— Je vous l'ai mise dessous, c'est dans la zone russe. »

Il se leva, souriant à sa façon viennoise, très étudiée; un fin pinceau avait soigneusement tracé les lignes du charme aux commissures des lèvres et autour des yeux.

« Tenez-moi au courant, dit-il, et si vous avez besoin d'aide... mais je m'obstine à trouver peu sage ce que vous allez entreprendre. »

Il ramassa, sur la table, *Le Cavalier solitaire*.

« Je suis très fier d'avoir fait votre connaissance. Un maître dans l'art d'intéresser le lecteur! »

Une main lissa le toupet postiche, tandis que l'autre passant doucement sur sa bouche en effaçait le sourire, et ce fut comme si ce sourire n'avait jamais existé.

Chapitre V

MARTINS était assis sur une chaise dure, près
de l'entrée des artistes, à l'intérieur du théâtre
Josephstadt. Il avait fait porter sa carte à Anna
Schmidt à la fin de la matinée, en ajoutant les
mots : « Un ami de Harry. » Une galerie de
petites fenêtres, garnies de rideaux de dentelle,
et où les lumières s'éteignaient l'une après
l'autre, marquait l'endroit où les acteurs se préparaient à rentrer chez eux, pour y trouver la
tasse de café sans sucre, et le petit pain sans
beurre qui les soutiendraient jusqu'à la représentation du soir. On aurait dit une petite rue
construite à l'intérieur pour un décor de film,
mais même à l'intérieur il faisait froid, froid
même pour un homme vêtu d'un gros pardessus. Martins se leva et se mit à marcher de long
en large, sous les fenêtres en miniature. Il se

sentait, me confia-t-il, un peu comme un Ro-
méo qui n'était pas sûr de pouvoir retrouver le
balcon de Juliette.

Il avait eu le temps de réfléchir; il était calme,
Martins ayant pris l'ascendant sur Rollo. Lorsqu'une lumière s'éteignait à l'une des fenêtres
et qu'une actrice descendait par le couloir où
il faisait les cent pas, il ne tournait même pas
la tête pour la regarder. Il en avait fini avec
cela. Il pensait : « Kurtz a raison, ils ont tous
raison. Je me conduis comme un idiot romanesque; je vais dire un mot à Anna Schmidt,
rien qu'un mot de condoléances, et puis je fais
ma valise et je pars. » Il avait tout à fait oublié,
me dit-il, la complication de Mr. Crabbin.

Au-dessus de sa tête, une voix appela :
« Mr. Martins! », et il leva les yeux vers le visage
qui l'observait par l'entrebâillement des rideaux,
à quelques pieds plus haut. « Ce n'était pas un
joli visage, m'expliqua-t-il avec fermeté quand
je l'accusai d'avoir une fois de plus « mélangé
ses boissons ». Ce n'était qu'une figure honnête,
aux cheveux noirs, avec des yeux qui, dans cet
éclairage, paraissaient bruns; un front large, une
grande bouche qui n'essayait pas de séduire. »
Aucun danger que survienne, sembla-t-il à Rollo
Martins, un de ces moments de brusque folie

où le parfum d'une chevelure, une main pressée sous votre coude, changent tout le cours de votre vie.

« Voulez-vous monter, dit-elle, s'il vous plaît? Seconde porte à droite. »

« Il y a des gens, m'expliqua-t-il avec soin, qu'on reconnaît immédiatement comme des amis. Vous vous sentez à l'aise avec eux parce que vous savez que vous ne serez jamais, jamais en danger. Anna était de ces gens », et je ne pus distinguer si son emploi du passé était voulu ou non.

A la différence des loges d'artistes en général, cette pièce était à peu près nue : pas d'armoires bourrées de robes, pas de tubes de fard et de crèmes en désordre; une robe de chambre suspendue à la porte; et, posé sur l'unique fauteuil, un chandail qu'il reconnut pour l'avoir vu à l'acte II; une boîte de fer-blanc contenant du maquillage à demi usé. Une bouilloire chantonnait doucement sur un réchaud à gaz.

« Voulez-vous une tasse de thé? demanda-t-elle. Quelqu'un m'en a envoyé un paquet la semaine dernière. Les Américains en donnent quelquefois au lieu de fleurs, les soirs de première.

— J'en prendrais volontiers une tasse », dit-il

— et pourtant si Martins détestait quelque chose, c'était bien le thé!

Il observa Anna tandis qu'elle le préparait. Elle le faisait très mal, naturellement : elle ne réchauffait pas la théière, l'eau ne bouillait pas, et il y avait trop peu de feuilles de thé.

« Je n'ai jamais compris, dit-elle, pourquoi les Anglais aiment tellement le thé. »

Il avala sa tasse d'eau chaude rapidement, comme un remède, en la regardant savourer la sienne à petites gorgées délicates.

« Je désirais vivement vous voir, dit-il, au sujet de Harry. »

Le moment terrible était arrivé. Il vit la bouche de la jeune fille se crisper dans l'attente de ce qu'il allait dire.

« Oui?

— Je le connaissais depuis vingt ans. J'étais son ami. Nous étions à l'école ensemble, vous savez, et après... il ne se passait jamais beaucoup de mois sans que nous nous rencontrions.

— Quand on m'a donné votre carte, dit-elle, je n'ai pas pu répondre non, mais, en réalité, nous n'avons rien à nous dire, n'est-ce pas? Rien.

— Je voudrais savoir...

— Il est mort. C'est tout. Tout est terminé, fini... A quoi bon en parler?

— Nous l'aimions, vous et moi...

— Je ne sais pas. On ne peut pas savoir une chose comme ça, après. Je ne sais plus rien, sauf...

— Sauf?

— Que je voudrais être morte, moi aussi. »

Martins me raconta : « A ce moment-là, j'ai failli m'en aller. A quoi servait de la tourmenter, à cause d'une idée folle que j'avais eue? Mais au lieu de partir, je lui ai posé une question. »

« Connaissez-vous un homme du nom de Cooler?

— Un Américain? demanda-t-elle, je crois que c'est lui qui m'a apporté de l'argent après la mort de Harry. Je ne voulais pas le prendre, mais il m'a dit que ç'avait été la volonté de Harry, au dernier moment.

— Donc, il n'est pas mort sur le coup?

— Oh! non! »

Martins me dit : « Je commençai à me demander pourquoi je m'étais ancré aussi solidement cette idée dans la tête, et puis je me rappelai que c'était l'homme, le voisin de Harry qui me l'avait dit. Rien que lui. »

« Il a dû conserver beaucoup de lucidité jusqu'au bout, dis-je à Anna, car il a pensé à moi

aussi. Cela semblerait prouver qu'il n'a pas
souffert.

— C'est ce que je passe mon temps à me
répéter.

— Avez-vous vu le docteur?

— Une fois. Harry m'avait envoyée chez lui.
C'était son médecin habituel. Il habitait tout
près de chez lui. »

Tout à coup, dans l'étrange cellule de notre
esprit où naissent de telles images, sans prépa-
ration, sans raison. Martins vit se dessiner, au
milieu d'un endroit désert, un corps étendu à
terre, entouré d'un groupe d'oiseaux. Peut-être
était-ce une scène non encore écrite d'un de ses
propres romans qui s'ébauchait aux frontières
de son subconscient. Le tableau, dès qu'il fut
complet, s'évanouit et Martins pensa : « Comme
c'est étrange qu'ils se soient tous trouvés là, à
ce moment précis, tous amis de Harry : Kurtz,
le docteur, ce type appelé Cooler, tandis que les
deux seuls êtres qui l'aimaient vraiment étaient
absents. »

« Et le chauffeur, demanda-t-il, avez-vous entendu sa déposition?

— Il était bouleversé et il avait peur. Mais
les déclarations de Cooler et de Kurtz l'ont mis
hors de cause. Non, ce n'était pas sa faute.

pauvre homme! J'ai souvent entendu Harry dire
de lui qu'il conduisait très prudemment.

— Lui aussi connaissait Harry? »

(Un nouvel oiseau battit des ailes et vint se
joindre à ceux qui entouraient l'image silencieuse de l'homme étendu face contre terre.
Martins savait maintenant que c'était Harry, il
l'avait reconnu à ses vêtements, à son attitude
de petit garçon allongé sur l'herbe, endormi au
bord du terrain de jeu, par un brûlant après-
midi d'été.)

Ils entendirent appeler de l'extérieur :

« Fraülein Schmidt!

— Ils n'aiment pas qu'on reste trop longtemps, dit Anna, parce que ça use *leur* élec-
tricité. »

Martins avait renoncé à l'idée de lui épargner
quoi que ce fût. Il lui dit :

« Les gens de la police prétendent qu'ils
étaient sur le point de l'arrêter. Ils avaient découvert qu'il trafiquait. »

Elle accueillit cette nouvelle à peu près de
la même façon que Kurtz.

« Tout le monde trafique.

— Je ne pense pas qu'il ait été mêlé à quelque
chose de grave.

— Non.

— Mais on a pu monter une cabale contre lui. Connaissez-vous un homme du nom de Kurtz?

— Je ne crois pas.

— Il porte une perruque.

— Oh! »

Martins put voir que le coup avait porté.

« Ne trouvez-vous pas très bizarre, ajouta-t-il, qu'ils se soient tous trouvés là, quand il est mort? Tous connaissaient Harry, même le chauffeur, même le docteur...

— Cette idée m'est venue à moi aussi, dit-elle avec le calme du désespoir, et pourtant je ne savais pas que Kurtz y était. Je me suis demandé si Harry avait été assassiné, mais à quoi sert de se le demander?

— Il faut que je retrouve toutes ces crapules, dit Rollo Martins.

— Ça ne servira à rien. La police a peut-être raison. Le pauvre Harry s'est peut-être compromis...

— Fraülein Schmidt! cria de nouveau la voix.

— Il faut que je parte.

— Je vous accompagne un bout de chemin. »

La nuit était presque complète. La neige avait cessé de tomber depuis un moment, et les grandes statues du Ring, aigles, chars, chevaux caracolant, se détachaient en gris sous les derniers rayons du soir.

« Mieux vaut renoncer à tout cela et oublier », dit Anna.

Sur les trottoirs qui n'avaient pas été balayés, on enfonçait jusqu'à la cheville dans la neige baignée de lune.

« Voulez-vous me donner l'adresse du docteur? »

Ils s'arrêtèrent à l'abri d'un mur, pendant qu'elle lui écrivait l'adresse

« La vôtre aussi.

— Pourquoi voulez-vous la mienne?

— Il se peut que j'aie des nouvelles à vous communiquer.

— Aucune nouvelle ne peut plus m'être agréable désormais. »

Il la regarda de loin monter dans son tram en baissant la tête pour lutter contre le vent, petit point d'interrogation sombre sur la neige.

CHAPITRE VI

L'AVANTAGE du détective amateur sur le professionnel est que le premier n'a pas de journée de travail fixe. Rollo Martins n'était pas soumis aux huit heures quotidiennes. Il n'était pas forcé d'arrêter ses recherches au moment des repas. En un seul jour, il couvrit autant de terrain qu'un de mes hommes en aurait couvert en deux, et il avait sur nous cette supériorité initiale qu'il était l'ami de Harry. Il travaillait de l'intérieur, pour ainsi dire, tandis que nous picorions au périmètre.

Le docteur Winkler était chez lui. Peut-être aurait-il été sorti si un officier de police l'avait demandé. Une fois de plus, Martins avait ajouté à sa carte de visite les mots-sésame : « Un ami de Harry Lime. »

Le salon d'attente du docteur Winkler fit à

Martins l'impression d'un magasin d'antiquités...
Un magasin d'antiquités spécialisé dans les objets
d'art religieux.

Il y avait là plus de crucifix qu'il n'en put
compter, dont le plus récent devait dater du
XVIIe siècle. Il y avait des statues de bois et
d'ivoire. Il y avait une quantité de reliquaires :
de petits ossements portant le nom de saints,
au milieu de cadres ovales, sur un fond de papier d'étain. S'ils étaient authentiques, quelle
étrange destinée, pensa Martins, pour un petit
morceau d'une phalange de sainte Suzanne que
de venir reposer dans la salle d'attente du docteur Winkler. Même les chaises hideuses, avec
leurs hauts dossiers, semblaient avoir servi de
sièges à des cardinaux. La pièce manquait
d'aération et l'on y cherchait l'odeur de l'en-
cens. Dans un petit coffret d'or était un éclat
de bois de la vraie Croix. Un éternuement rappela Martins à la réalité.

Le docteur Winkler était le médecin le plus
propre que Martins eût jamais vu. Il était très
petit, et tiré à quatre épingles dans son habit noir
et son haut faux col empesé. Sa mince moustache
noire ressemblait à une cravate de soirée. Il éter-
nua de nouveau. Peut-être avait-il pris froid à
force d'être propre.

« Mr. Martins? » dit-il.

Rollo Martins fut assailli du désir irrésistible de souiller le docteur Winkler.

« Docteur Winkle? demanda-t-il.

— Docteur Winkler.

— Vous avez là une bien intéressante collection.

— Oui.

— Ces ossements de saints...

— Des os de poulets et de lapins. »

Le docteur Winkler sortit de sa manche un grand mouchoir blanc, du geste d'un prestidigitateur faisant apparaître le drapeau de son pays, et il se moucha à deux reprises, proprement et méticuleusement, en bouchant chaque fois une de ses narines. On se serait attendu à lui voir jeter le mouchoir après usage.

« Voudriez-vous, Mr. Martins, m'exposer le motif de votre visite? Un client m'attend.

— Nous étions, vous et moi, amis de Harry Lime.

— J'étais son médecin consultant, corrigea le docteur Winkler, passif et obstiné, entre les crucifix.

— Je suis arrivé trop tard pour assister à l'enquête. Harry m'avait invité à venir le rejoindre et m'avait demandé de l'aider; je ne sais pas très bien en quoi. Je n'ai appris sa mort qu'à mon arrivée.

— C'est fort triste, dit le docteur Winkler.

— En de telles circonstances, vous comprendrez que je cherche à recueillir le plus de renseignements possible.

— Je ne puis rien vous apprendre que vous ne sachiez déjà. Il a été renversé par une automobile. Il était mort quand je suis arrivé.

— Avait-il gardé sa connaissance?

— Un court moment, à ce que j'ai compris, pendant qu'on le transportait dans la maison.

— Souffrait-il beaucoup?

— Pas nécessairement.

— Vous êtes tout à fait certain que ce fut un accident? »

Le docteur Winkler avança la main et redressa un crucifix.

« Je n'y étais pas. Mon opinion se limite à la cause du décès. Avez-vous une raison pour ne pas en être satisfait? »

L'amateur a sur le professionnel un avantage de plus : il peut rejeter toute prudence. Il peut révéler d'inutiles vérités et émettre d'extravagantes théories.

« La police, dit Martins, a impliqué Harry dans une affaire très grave de marché noir. J'ai l'impression qu'il a pu être assassiné, ou même qu'il a pu se suicider.

— Je ne suis pas qualifié pour exprimer une opinion.

— Connaissez-vous un homme appelé Cooler?

— Je ne crois pas.

— Il était là quand Harry a été tué.

— Alors, j'ai dû le rencontrer. Il porte un postiche?

— Non, ça c'est Kurtz. »

Le docteur Winkler n'était pas seulement le médecin le plus propre que Martins eût rencontré, c'était aussi le plus circonspect. Ses affirmations étaient si peu nombreuses qu'on ne pouvait pour un instant douter de leur véracité.

« Il y avait un second homme », dit-il.

On avait l'impression que s'il avait dû faire un diagnostic de fièvre scarlatine, il se serait contenté de déclarer qu'une éruption était visible, que la température montait à tant de degrés. Jamais il ne ferait d'erreur au cours d'une enquête.

« Y avait-il longtemps que vous étiez le médecin de Harry? »

Il semblait étrange que Harry l'eût choisi, Harry qui aimait les hommes capables de certaines imprudences, susceptibles de se tromper.

« Une année environ.

— Vous avez été tout à fait aimable de me recevoir. »

Le docteur Winkler s'inclina. Quand il s'inclinait, on entendait un très léger craquement, comme si sa chemise avait été en celluloïd.

« Je ne veux pas faire attendre vos clients davantage. »

En se détournant du docteur Winkler, Martins se trouva en face d'un crucifix de forme nouvelle, accroché à la croix avec les bras au-dessus de la tête; longue image d'agonie, à la façon du Greco.

« Quel étrange crucifix, dit-il.

— Janséniste. »

Ayant donné cette information, le docteur Winkler referma la bouche précipitamment comme s'il venait de se rendre coupable d'une indiscrétion.

« Jamais entendu ce mot. Pourquoi a-t-il les bras au-dessus de la tête?

— Parce qu'il est mort, expliqua le docteur Winkler à contrecœur, à ce qu'ils pensent, pour les seuls élus. »

Chapitre VII

D'après ce que je lis, en feuilletant mes fiches,
les notes prises pendant nos conversations, les
déclarations de différents témoins, il eût encore
été possible à Rollo Martins, à ce moment-là,
de quitter Vienne sain et sauf. Il avait fait
preuve d'une curiosité malsaine, mais à chacune
de ses manifestations, la maladie avait été en-
rayée. Personne n'avait rien laissé échapper.
Sous ses doigts tâtonnants, le mur lisse de la
dissimulation n'avait encore laissé paraître nulle
faille. En quittant la maison du docteur Winkler, Rollo Martins n'était pas en danger. Il
aurait pu aller se coucher à l'hôtel Sacher et
dormir, l'esprit tranquille. Il aurait même pu,
à cet instant, rendre visite à Cooler, sans risque.
Personne n'était sérieusement inquiet. Malheu-
reusement pour lui, et il y aurait toujours des
périodes de son existence où il le regretterait

amèrement, il décida de retourner dans l'appartement de Harry. Il désirait bavarder un peu
avec le petit homme de mauvaise humeur qui
prétendait avoir vu l'accident... mais avait-il dit
cela exactement? Pendant quelques minutes,
dans la rue noire et glacée, il fut tenté d'aller
trouver Cooler directement, pour compléter
cette image qu'il avait des sinistres oiseaux ins-
tallés autour du corps de Harry, mais Rollo,
parce qu'il était Rollo, joua la chose à pile ou
face et la pièce en tombant choisit la visite à
l'appartement, et la mort de deux hommes.

Peut-être le petit homme, qui s'appelait Koch,
avait-il bu un verre de vin de trop, peut-être
avait-il simplement passé une bonne journée à
son bureau, mais lorsque Martins sonna à sa
porte, cette fois, il se montra aimable et tout
prêt à parler. Il venait de finir son dîner et il y
avait encore des miettes dans sa moustache.

« Ah! je me souviens de vous! Vous êtes
l'ami de Herr Lime. »

Il accueillit Martins avec une grande cordialité et le présenta à une monumentale épouse
sur laquelle il exerçait évidemment une auto-
rité absolue.

« Autrefois, je vous aurais proposé une tasse
de café, mais à présent... »

Martins offrit des cigarettes et l'atmosphère de sympathie s'accentua.

« Quand vous avez sonné hier, je vous ai répondu assez brusquement, dit Herr Koch, mais j'avais un peu de migraine, et il me fallait ouvrir la porte moi-même, car ma femme était sortie.

— M'avez-vous dit que vous aviez vu l'accident se produire? »

Herr Koch et sa femme échangèrent un regard.

« L'enquête est terminée, Ilse, il n'y a aucun mal à parler. Tu peux te fier à mon jugement. Ce monsieur est un ami. Oui, j'ai vu l'accident, mais vous êtes le seul à le savoir. Quand je dis que je l'ai vu, peut-être devrais-je dire plutôt que je l'ai entendu. J'ai entendu les freins et le bruit du dérapage, et je suis arrivé à la fenêtre juste à temps pour les voir transporter le corps dans la maison.

— Mais vous n'avez pas témoigné?

— Il vaut mieux ne pas se mêler de ces choses. Mon bureau n'aurait pas pu me libérer; nous manquons de personnel, et naturellement je n'avais pas vraiment *vu*...

— Vous m'avez cependant raconté hier comment cela s'était produit.

— C'est le récit qu'en donnaient les journaux.

— Souffrait-il beaucoup?

— Il était mort. J'ai regardé par la fenêtre, que voici, et j'ai vu sa figure. Je sais reconnaître quand un homme est mort. C'est à vrai dire, en quelque sorte, mon métier. Je suis commis principal à la morgue.

— Mais les autres m'ont dit qu'il n'était pas mort sur le coup.

— Peut-être qu'ils ne connaissent pas la mort aussi bien que moi.

— Naturellement, il était mort quand le médecin est arrivé, le docteur Winkler me l'a dit lui-même.

— Il est mort sur le coup. Vous pouvez en croire sur parole un homme qui s'y connaît.

— Je trouve, Herr Koch, que vous auriez dû témoigner.

— Chacun veille sur sa propre sécurité, Herr Martins. Je ne suis pas le seul qui se soit abstenu.

— Que voulez-vous dire?

— Trois hommes ont aidé à porter votre ami dans la maison.

— Je sais, deux hommes et le chauffeur.

— Non, le chauffeur est resté là où il était. Il était très ému, le pauvre...

— Trois hommes... »

On eût dit qu'en se promenant à tâtons sur le mur nu, ses doigts venaient de rencontrer brusquement, peut-être pas tout à fait une fissure, mais une rugosité que les constructeurs soigneux n'avaient pas aplanie.

Mais Herr Koch n'était pas entraîné à observer les vivants : seul, l'homme au faux toupet avait attiré ses yeux. Les deux autres n'étaient que deux hommes, ni grands ni petits, ni gros ni minces. Il les avait vus de haut, en raccourci, penchés sur leur fardeau. Ils n'avaient pas levé la tête, et Mr. Koch s'était hâté de détourner les yeux et de refermer la fenêtre, comprenant immédiatement qu'il était sage de ne pas se montrer.

« Je ne pouvais apporter aucun témoignage utile, Herr Martins. »

Aucun témoignage, pensa Martins, aucun témoignage!... Il ne doutait plus qu'un crime n'eût été commis. Quelle autre raison auraient-ils eue tous de mentir au sujet du moment de la mort? Avec leurs cadeaux d'argent et de billets d'avion, ils voulaient fermer la bouche aux deux seuls amis que Harry eût à Vienne. Et le troisième homme? Qui était-il?

« Avez-vous vu sortir Herr Lime? demanda Martins.

— Non.

— Avez-vous entendu un cri?

— Rien que les freins, Herr Martins. »

Martins songea brusquement qu'il n'y avait rien — sauf la parole de Kurtz, celles de Cooler et du chauffeur — qui pût prouver qu'en fait Harry avait été tué à ce moment précis. Il y avait eu la déposition du médecin, mais tout ce qu'elle établissait était que le moment de la mort remontait au plus à une demi-heure; d'ailleurs, cette déposition n'avait de valeur que ce que valait la parole du docteur Winkler, cet homme si propre et si calme, qu'on entendait crépiter parmi ses crucifix.

« Herr Martins, je viens de penser... Vous restez quelque temps à Vienne?

— Oui.

— Si vous aviez besoin de vous loger et si vous en parliez sans tarder aux autorités, vous pourriez avoir l'appartement de Herr Lime, c'est un bien réquisitionné.

— Qui en a les clefs?

— C'est moi.

— Pourrais-je visiter?

— Ilse, les clefs! »

Herr Koch le conduisit jusqu'aux chambres qui avaient été l'appartement de Harry. Dans

le petit vestibule sombre flottait encore le parfum des cigarettes de tabac turc que fumait toujours Harry. Il lui sembla étrange que l'odeur
d'un homme demeurât dans les plis d'un rideau
si longtemps après que l'homme lui-même s'était
transformé en matière morte, en gaz, en pour-
riture. Une ampoule électrique entourée d'une
lourde frange de perles les laissait dans la pé-
nombre, forcés de chercher à tâtons les boutons
de porte.

Le salon-bureau était complètement nu, trop
nu, pensa Martins. Les chaises avaient été re-
poussées contre le mur : ni papiers, ni poussière
sur la table à laquelle Harry s'asseyait certainement pour écrire. Le parquet reflétait la lumière comme un miroir. Herr Koch ouvrit une
porte et montra la chambre à coucher; le lit
avait été méticuleusement refait avec des draps
propres. Dans la salle de bains, pas même une
lame de rasoir usée pour indiquer qu'un homme
vivant l'occupait quelques jours avant. Seule,
dans l'ombre du vestibule, l'odeur des cigarettes
donnait le sentiment qu'on avait vécu là.

« Vous voyez, dit Herr Koch, tout est prêt
pour le nouveau locataire. Ilse a fait le mé-
nage. »

Certes, elle l'avait fait. Après une mort, il

devrait rester plus de désordre que cela. Un
homme ne part pas brusquement, à l'improviste,
pour son plus lointain voyage, sans oublier une
chose ou l'autre, sans laisser une note non soldée,
une formule officielle non remplie, une photo-
graphie de femme.

« N'y avait-il pas le moindre papier, Herr
Koch?

— Herr Lime a toujours été un homme très
ordonné. Sa corbeille à papiers était pleine, et
aussi sa serviette, mais son ami les a emportées.

— Quel ami?

— Le monsieur qui porte perruque. »

Il était possible, naturellement, que Lime ne
fût pas parti en voyage aussi inopinément que
Martins l'avait cru, et ce dernier se prit à penser
que Lime avait espéré sans doute que son ami
arriverait de Londres assez tôt pour lui venir en
aide.

« Je crois, dit-il à Herr Koch, que mon ami
a été assassiné.

— Assassiné? »

La cordialité de Herr Koch s'éteignit comme
une chandelle, lorsqu'il entendit ce mot.

« Je ne vous aurais pas laissé entrer, ajouta-
t-il, si j'avais prévu que vous alliez dire de telles
sottises.

— N'empêche que votre témoignage serait précieux.

— Je n'ai pas à témoigner. Je n'ai rien vu. Ceci ne me regarde pas. Il faut que vous partiez immédiatement, s'il vous plaît. Vous avez manqué grandement de considération. »

Il ramena au galop Martins dans le vestibule qu'ils traversèrent. Déjà, l'odeur du tabac était devenue plus faible. La dernière phrase de Herr Koch avant de faire claquer sa propre porte fut : « Ceci ne me touche pas. » Pauvre Herr Koch! Nous ne choisissons pas les choses qui nous touchent. Plus tard, quand j'en vins à interroger Martins de plus près, je lui dis :

« Avez-vous aperçu quelqu'un dans l'escalier ou dans la rue en sortant?

— Personne. »

Il avait tout à gagner à se rappeler quelque passant de hasard; je le crus donc.

« J'ai même remarqué, me dit-il, combien toute la rue paraissait paisible, quasi morte. Un fragment en est détruit par les bombes, vous le savez, et le clair de lune brillait sur les pentes blanches des talus. Tout était tellement silencieux. J'entendais la neige craquer sous mes pieds.

— Notez que ça ne prouve rien. Il y a un

sous-sol où quelqu'un aurait pu se cacher après
vous avoir suivi.

— Oui.

— Et toute votre histoire est peut-être fausse.

— Oui.

— Ce qui m'agace, c'est que je ne peux pas
voir pour quel motif vous mentiriez. C'est vrai
que vous êtes déjà coupable d'avoir obtenu de
l'argent par des moyens frauduleux; vous êtes
venu ici pour retrouver Lime, sans doute pour
travailler avec lui...

— Quel est ce fameux trafic sur lequel vous
revenez toujours? me demanda Martins.

— Je vous aurais exposé les faits jusqu'au
bout, dans notre première entrevue, si vous
n'aviez pas montré les dents si vite. A présent,
je pense qu'il serait peu sage de vous mettre
au courant. Ce serait vous communiquer des
renseignements officiels, et vos fréquentations
ne m'inspirent guère confiance, savez-vous? Une
jeune fille munie de papiers d'identité falsifiés par Lime, ce Kurtz.

— Le docteur Winkler...

— Je n'ai encore rien contre le docteur Winkler. Non, si vous êtes un escroc, vous n'avez
pas besoin de nos renseignements; mais ils pourraient vous aider à savoir jusqu'à quel point

nous sommes informés. Je dois vous dire que nous n'avons pas encore réuni tous les faits.

— Ça ne m'étonne pas. Je pourrais inventer un meilleur détective que vous sans me fouler la rate.

— Votre style littéraire ne rend pas justice à votre homonyme », lui dis-je.

Chaque fois qu'on lui rappelait Mr. Crabbin, malheureux représentant harassé de la Société des Relations culturelles britanniques, Rollo Martins rosissait d'ennui, d'embarras et de honte. Ceci aussi me disposait à lui faire confiance.

Il avait, en vérité, fait passer à Crabbin quelques heures très désagréables. En revenant à l'hôtel Sacher, après son entrevue avec Herr Koch, il avait trouvé, qui l'attendait, un message désespéré du représentant :

« *J'ai essayé de vous atteindre toute la journée*, écrivait Crabbin, *car il est essentiel que nous nous voyions afin de fixer votre plan de travail. Ce matin, j'ai arrangé par téléphone des conférences à Innsbrück et à Salzburg pour la semaine prochaine, mais il me faut votre accord en ce qui concerne les sujets, afin que les programmes puissent partir pour l'impres-*

sion. *Je me permets de suggérer deux confé-*
rences : La Foi en péril dans le Monde occi-
dental (*vous êtes très respecté ici en tant qu'écri-*
vain catholique, mais cette conférence doit être
exempte de toute politique) *et la* Technique du
Roman contemporain. *Les mêmes conférences*
seront données à Vienne. D'autre part, il y a
un grand nombre de personnes qui désirent
vous rencontrer, et j'ai l'intention de donner un
cocktail au début de la semaine prochaine. Pour
toutes ces raisons, j'ai grand besoin d'avoir de
vos nouvelles. »

La lettre se terminait sur une note d'angoisse
cruelle :

« *Vous viendrez à notre discussion demain*
soir, n'est-ce pas? Nous vous attendons à 8 h 30,
et il est inutile d'ajouter que nous nous en
réjouissons d'avance. Je vous ferai chercher à
votre hôtel à 8 h 15 exactement. »

Rollo Martins lut la lettre et, sans s'inquiéter
davantage de Mr. Crabbin, il alla se coucher.

CHAPITRE VIII

APRÈS deux verres d'alcool, les idées de
Rollo Martins revenaient irrésistiblement aux
femmes... aux femmes considérées d'une manière vague, sentimentale, romantique, en tant
que sexe, en général. Après trois verres, tel un
pilote effectuant une plongée pour trouver sa
direction, il commençait à faire converger ses
regards sur une femme qui se trouvait là. Si
Cooler ne lui avait pas offert un troisième
verre, il ne serait probablement pas allé si vite
chez Anna Schmidt, et si... mais il y a trop de
« si » dans mon style, car mon métier est de
comparer les possibilités, les possibilités humaines, et l'irrésistible entraînement de la destinée ne peut trouver de place dans mes fiches.

Martins avait passé son heure de déjeuner à
lire et relire les comptes rendus de l'enquête,
faisant ainsi la démonstration de la supériorité

de l'amateur sur le professionnel, et devenant
plus vulnérable à l'alcool de Cooler (que le professionnel, tenu par son service, aurait refusé).
Il était près de 5 heures lorsqu'il arriva dans
l'appartement de Cooler, qui se trouvait au-
dessus d'une boutique de glacier, dans la zone
américaine : en bas, le bar était plein de G. I's
accompagnés de filles, et le cliquetis des longues
cuillers mêlé au rire curieusement libre des
hommes en uniforme suivit Martins tout au
long de l'escalier.

L'Anglais qui ne peut pas souffrir les Américains transporte généralement devant son œil
intérieur l'image exceptionnelle de l'Américain
qu'était Cooler : un homme aux cheveux gris
en broussaille, au visage bienveillant et inquiet,
aux longs yeux insatisfaits, le type du philan-
thrope qu'on voit débarquer au milieu d'une
épidémie de typhus, d'une guerre mondiale ou
d'une famine en Chine, longtemps avant que
ses compatriotes aient repéré l'endroit sur un
atlas. Une fois de plus, la carte de visite mar-
quée « ami de Harry » lui servit de billet d'entrée. Sa poignée de main chaude et franche était
le geste le plus amical que Martins eût rencontré
à Vienne.

« Tout ami de Harry est le bienvenu, dit

Cooler, j'ai entendu parler de vous, naturellement.

— Par Harry?

— Je suis très amateur d'histoires du Far West, dit Cooler, et Martins le crut, alors qu'il n'avait pas cru Kurtz.

— Je me demande... vous y étiez, n'est-ce pas?... si vous voudriez me parler de la mort de Harry.

— Ce'fut affreux. Je traversais la rue pour rejoindre Harry. Lui et Mr. Kurtz étaient sur le trottoir. Peut-être que si je n'avais pas commencé à traverser, il serait resté où il était. Mais il me vit et descendit sur la chaussée à ma rencontre; alors, cette jeep... ce fut affreux, affreux. Le chauffeur a freiné, mais il n'avait pas la moindre chance de l'éviter. Un verre de whisky, Mr. Martins? C'est idiot, mais ça me secoue rien que d'en parler. »

Il ajouta, en faisant gicler l'eau gazeuse :

« Je n'avais jamais vu tuer un homme.

— L'autre homme était-il dans la voiture? »

Cooler avala une longue rasade, puis mesurant de son regard las ce qui restait dans son verre :

« De quel homme voulez-vous parler, Mr. Martins?

— On m'a dit qu'il se trouvait là un troisième homme.

— Je ne sais comment vous êtes arrivé à cette idée. Vous trouverez tous les détails dans le procès-verbal de l'enquête. »

Il nous versa deux rations d'alcool plus généreuses que les premières.

« Nous n'étions que trois : Kurtz, le chauffeur et moi. Et le docteur, bien entendu. Sans doute pensiez-vous au docteur.

— Le type auquel j'en ai parlé regardait par hasard dans la rue et, de sa fenêtre (il occupe l'appartement voisin de celui de Harry), il m'a dit qu'il avait vu trois hommes et le chauffeur. C'était avant l'arrivée du docteur.

— Il ne l'a pas dit devant le tribunal.

— Il ne voulait pas se compromettre.

— Jamais l'on ne dressera ces Européens à être de bons citoyens. C'était son devoir. »

Cooler pencha tristement la tête sur son verre :

« C'est une chose bizarre, Mr. Martins, qu'un accident. Impossible d'avoir deux récits qui coïncident. Tenez, même Mr. Kurtz et moi, nous n'étions pas d'accord sur certains points. Les choses se produisent avec une telle rapidité, on ne prend pas la peine de remarquer tous les détails, mais brusquement : boum! crac! et l'on vous demande de vous rappeler et de faire la reconstitution. Je suppose que votre bonhomme s'est embrouillé en cherchant à classer les faits qui se sont produits avant et ceux qui se sont produits après, et qu'il n'a pu nous distinguer les uns des autres tous les quatre.

— Tous les quatre?

— En comptant Harry. Qu'a-t-il vu encore, Mr. Martins?

— Rien d'intéressant. Mais il dit que Harry était mort quand on l'a transporté dans la maison.

— Oh! il était mourant. Cela ne fait pas une grande différence. Laissez-moi remplir votre verre, Mr. Martins.

— Non, merci. Je crois que j'en ai assez.

— Eh bien! moi, j'en prends encore un petit coup. J'aimais beaucoup votre ami, Mr. Martins, et ça m'est pénible de parler de lui.

— Alors, encore un peu pour vous tenir compagnie.

— Connaissez-vous Anna Schmidt? demanda Martins, avant que le picotement du whisky eût quitté sa langue.

— L'amie de Harry? Oui, je l'ai rencontrée une fois, c'est tout. En fait, j'ai aidé Harry à arranger ses papiers. Je ne devrais pas avouer ces choses-là à un étranger, n'est-ce pas? mais les principes sont faits pour être violés. **Etre** humain est aussi un devoir.

— Qu'est-ce qui n'allait pas?

— Elle est Hongroise et l'on disait que son père était nazi. Elle avait affreusement peur de se faire ramasser par les Russes.

— Pourquoi la ramasseraient-ils?

— Mais, parce que ses papiers n'étaient pas en règle.

— Vous lui avez porté de l'argent de la part de Harry, n'est-ce pas?

— Oui, oui, n'en parlons pas. Est-ce elle qui vous l'a dit? »

Le téléphone sonna et Cooler vida son verre jusqu'à la dernière goutte.

« Allô! dit-il. Oui, oui. Ici Cooler... »

Alors, il s'assit avec le récepteur à l'oreille et une expression de douloureuse patience peinte sur le visage, tandis qu'une voix très lointaine filtrait jusque dans la pièce.

« Oui, dit-il à un moment. Oui. »

Son regard s'attarda sur la figure de Martins, mais il avait l'air de fixer une chose placée bien au-delà de son visiteur : plat, las, compatissant, ce regard semblait franchir l'immense étendue d'un océan.

« Vous avez très bien fait, dit-il sur un ton de félicitation, puis avec une nuance d'agacement : mais oui, bien entendu, ce sera livré. J'ai donné ma parole. Bonsoir. »

Il reposa l'écouteur et se passa la main sur le front d'un geste fatigué. On aurait dit qu'il essayait de se rappeler ce qu'il avait à faire.

« Avez-vous quelque renseignement, demanda Martins, sur ce « racket » dont la police parle.

— Excusez-moi. De quoi s'agit-il?

— Les policiers prétendent que Harry se livrait à un commerce frauduleux.

— Oh! non, dit Cooler, non. C'est tout à fait impossible. Il avait le sens du devoir très développé.

— Kurtz avait l'air de croire que c'était possible.

— Kurtz ne peut pas comprendre les sentiments d'un Anglo-Saxon », répliqua Cooler.

CHAPITRE IX

LA nuit tombait lorsque Martins se fraya un chemin le long du canal. Sur la rive opposée, gisaient les Bains de Diane à moitié détruits et l'on voyait au loin, immobile au-dessus des maisons en ruines, le cercle noir de la Grande Roue du Prater. Là-bas, de l'autre côté de l'eau grise. s'étendait le second district appartenant aux Russes. L'église Saint-Etienne projetait dans le ciel son énorme flèche au-dessus de la Cité Intérieure. et. lorsqu'il remonta la Kartner-strasse. Martins passa devant la porte éclairée du poste de Police militaire. Les quatre hommes de la Patrouille internationale étaient en train de grimper dans leur jeep; le M. P. russe s'asseyait à côté du chauffeur (car les Russes avaient pris ce soir-là la présidence pour les quatre semaines à venir); les Anglais, les Fran çais et les Américains montèrent derrière. Les fumées de son troisième whisky sec tournoyaient dans le cerveau de Martins et il se rappelait la fille d'Amsterdam, la fille de Paris; la solitude marchait sur le trottoir, à son côté, parmi la foule. Il dépassa le coin de la rue où se trouvait l'hôtel Sacher et poursuivit son chemin. Rollo commandait et l'emmenait irrésistiblement vers la seule fille qu'il connût à Vienne.

Je lui demandai comment il savait où elle habitait.

« Oh! dit-il, la veille au soir, dans mon lit, en étudiant la carte, j'avais regardé l'adresse qu'elle m'avait donnée. » Il voulait apprendre à se diriger et il maniait bien les plans. Il se mettait facilement en mémoire les tournants et les noms des rues, parce qu'il faisait toujours un trajet sur deux à pied.

« Un trajet sur deux?

— Je veux dire, quand je vais voir une femme... ou quelqu'un d'autre. »

Il ignorait, naturellement, qu'elle serait chez elle, parce qu'on ne jouait pas ce soir-là au Josephstadt, à moins qu'il n'eût retenu cela aussi après avoir lu les affiches. En tout cas, elle était chez elle, si l'on peut s'exprimer ainsi en parlant d'une femme solitaire, assise dans une chambre sans feu, où le lit est camouflé en divan, à regarder les feuillets dactylographiés d'un rôle, éparses sur une table branlante, d'une absurde fantaisie, tandis que ses pensées l'entraînaient loin de ces objets. Martins dit gauchement (et personne, pas même Rollo, n'aurait pu décider dans quelle mesure cette gaucherie faisait partie de sa technique) :

« Je suis venu vous dire bonjour en passant...

— En passant? Pour aller où? »

Il lui avait fallu une bonne demi-heure de marche pour venir de l'*Inner Stadt* jusqu'aux confins de la zone anglaise, mais il avait toujours une réponse prête.

« J'ai bu trop de whisky avec Cooler. J'avais besoin de marcher et je me suis trouvé, par hasard, dans ce quartier.

— Je n'ai rien à vous donner à boire. Sauf du thé. Il m'en reste un peu sur ce paquet.

— Non, merci. Vous êtes occupée. dit-il en regardant les feuillets dactylographiés.

— Je n'arrive pas à dépasser la première réplique. »

Martins ramassa une feuille et lut :

« *Entre* : Louise.

Louise. — J'ai entendu pleurer un enfant. »

« Puis-je rester un moment? » demanda-t-il, avec une douceur qui venait de Martins plus que de Rollo.

« Je voudrais que vous restiez. »

Il se laissa tomber sur le divan et, très long-temps après, il me raconta (car les amoureux parlent, et reconstituent les plus petits détails s'ils trouvent quelqu'un pour les écouter) que ce fut à ce moment-là qu'il la regarda vraiment pour la seconde fois. Elle se dressait devant lui, aussi gauche que lui-même, dans un vieux pan-talon d'homme, en flanelle, dont le fond était mal rapiécé; elle se dressait, jambes écartées et solidement fixées au sol, comme si elle était décidée à résister à un adversaire, sans perdre de terrain; sa silhouette était courte et massive et toute la grâce qu'elle possédait avait été mise soigneusement de côté pour son seul usage pro-fessionnel.

« Vous êtes dans un de vos mauvais jours? demanda-t-il.

— Ça va toujours très mal vers cette heure-ci, expliqua-t-elle. C'était son heure et quand je vous ai entendu sonner, j'ai cru, pendant quelques secondes... »

Elle s'assit sur une chaise dure en face de lui et ajouta :

« Parlez, je vous en prie. Vous l'avez connu, dites-moi n'importe quoi. »

Alors, il parla. Tandis qu'il parlait, le ciel devenait noir derrière la vitre. Il remarqua au bout d'un moment que leurs mains s'étaient jointes.

« Je n'avais pas du tout l'intention de tomber amoureux... de l'amie de Harry.

— Et quand est-ce arrivé? demandai-je.

— Il faisait très froid et je me levai pour aller fermer les rideaux de la fenêtre. Ce ne fut qu'en ôtant ma main que je m'aperçus que j'avais tenu la sienne. Quand je fus debout, je regardai d'en haut son visage levé vers moi. Il n'était pas beau, voilà l'ennui. C'était un visage de tous les jours, avec lequel on peut vivre. Qui résiste à l'usage. Il me sembla que je venais de pénétrer dans un pays nouveau dont je ne parlais pas la langue. J'avais toujours cru que c'était la beauté qu'on aime chez une femme. Je restais debout devant les doubles rideaux et je regardais dehors, reculant le moment de les tirer. Je ne pouvais voir que ma propre image dont le regard retournait dans la pièce. Retournait vers Anna.

« — Et que fit alors Harry? dit-elle.

« J'avais envie de lui répondre : « Le diable

« emporte Harry. Il est mort. Nous l'aimions
« tous les deux, mais il est mort. Les morts sont
« faits pour être oubliés. » Mais, naturellement,
je répondis au lieu de cela :

« — Que croyez-vous qu'il fit? Il se contenta
« de siffler son vieux petit air comme si de
« rien n'était. »

« Et je le lui sifflai de mon mieux, je l'entendis étouffer un petit cri, je me retournai et
avant d'avoir pu réfléchir pour savoir si j'em-
ployais la bonne tactique, la bonne carte, le
bon pion, j'avais déjà dit :

« — Il est mort. Vous ne pouvez pas passer le
« reste de votre vie à vous souvenir de lui.

« — Je le sais, répondit-elle, mais peut-être
« quelque chose va-t-il se produire...

« — Que voulez-vous dire, que pourrait-il se
« produire?

« — Oh! je veux dire qu'il se présentera
« peut-être une autre issue. Il se peut que je
« meure comme lui, ou je ne sais quoi.

« — Vous l'oublierez avec le temps. Vous
« aimerez de nouveau.

« — Je sais, mais je n'en ai pas envie. Est-ce
« que vous ne voyez pas que je n'en ai pas
« envie? »

Alors Rollo Martins quitta la fenêtre et revint

s'asseoir sur le divan. Quand il l'avait quitté trente secondes avant, il était l'ami de Harry et consolait l'amie de Harry; maintenant, il était un homme, amoureux de Anna Schmidt, laquelle avait été amoureuse d'un autre homme que tous les deux avaient connu et qui s'appelait Harry Lime. Ce soir-là, il ne raconta plus le passé. Mais il se mit à parler à la jeune fille des gens qu'il avait vus.

« Je ne crois rien de ce que m'a dit Winkler, lui dit-il, mais Cooler, je trouve Cooler sympathique. C'est le seul parmi ses amis qui ait pris le parti de Harry. L'ennui, c'est que si Cooler a raison, alors Koch a tort, et je croyais vraiment que j'avais mis là le doigt sur quelque chose.

— Qui est Koch? »

Il lui expliqua qu'il était retourné dans l'appartement de Harry, raconta sa conversation avec Koch, l'histoire du troisième homme.

« Si c'est vrai, dit-elle, c'est très important.

— Ça ne prouve rien. Après tout, Koch s'est défilé à l'enquête, cet inconnu peut bien en avoir fait autant.

— Là n'est pas la question, dit-elle, cela signifie que les autres mentent, Kurtz et Cooler mentent.

— Peut-être ont-ils menti pour ne pas causer d'ennuis à ce troisième type, si c'est un ami.

— Un ami de plus qui se serait trouvé là? Et que devient alors l'honnêteté de votre Cooler?

— Que faire? Koch s'est refermé comme une huître et m'a mis à la porte de chez lui.

— Moi, il ne me mettra pas à la porte, dit-elle, pas plus que son Ilse. »

Ils suivirent ensemble la longue route qui conduisait à l'appartement de Lime. La neige collait à leurs chaussures et rendait leur marche lente semblable à celle des forçats alourdis de fers.

« Est-ce encore loin? demanda Anna.

— Plus maintenant. Voyez-vous là-bas ce petit groupe de gens sur la route, c'est dans ce coin-là. »

Le groupe immobilisé sur la route faisait l'effet, au milieu de cette blancheur, d'une grosse tache d'encre qui aurait coulé, changé de forme, se serait étalée. Lorsqu'ils furent un peu plus près, Martins dit :

« Je crois qu'ils sont devant sa maison. Que croyez-vous que ce soit? Une démonstration politique? »

Anna Schmidt s'arrêta.

« A qui avez-vous parlé de Koch? demanda-t-elle.

— Rien qu'à vous et à Cooler. Pourquoi?

— J'ai peur. Ceci me rappelle... »

Ses yeux étaient fixés sur la foule et jamais Martins ne sut quel souvenir, surgi de son passé confus, était venu la mettre en garde.

« Partons, implora-t-elle.

— Ne dites pas de folie! Nous allons découvrir quelque chose, cette fois, quelque chose d'important...

— Je vous attends ici. Mais vous, allez parler à Koch; informez-vous d'abord pourquoi tous ces gens... Je déteste la foule », ajouta-t-elle, ce qui était étrange venant d'une femme qui travaille sur les planches.

Martins s'avança donc seul lentement, la neige craquant sous ses talons. Ce n'était pas un meeting politique car personne ne faisait de discours. Il eut l'impression que les têtes se tournaient pour le voir approcher comme si quelqu'un était attendu. Lorsqu'il rejoignit les premiers groupes de la petite foule il sut avec certitude qu'elle était amassée devant la maison. Un homme, ses yeux braqués sur lui, demanda :

« Est-ce que vous en êtes aussi?

— Que voulez-vous dire?

— De la police.

— Non. Qu'ont-ils fait?

— Ils n'ont fait qu'aller et venir toute la journée.

— Qu'est-ce que tous ces gens attendent?

— Ils attendent qu'on le sorte de la maison.

— Qui?

— Herr Koch. »

Vaguement, Martins s'imagina que quelqu'un avait découvert comme lui-même que Herr Koch s'était dispensé d'aller témoigner, bien que cela ne concernât guère la police.

« Qu'est-ce qu'il a fait? demanda-t-il.

— On ne le sait pas encore. Ils ne sont pas arrivés à se décider là-dedans. Peut-être que c'est un suicide, mais peut-être aussi que c'est un crime.

— Herr Koch?

— Bien entendu. »

Un petit enfant s'approcha de l'homme qui lui donnait ces renseignements et le tira par la main. « Papa, papa. » Il avait sur la tête un bonnet de laine qui le faisait ressembler à un gnome, et sa figure était crispée et bleuie par le froid.

« Oui, mon chéri, qu'est-ce que c'est?

— Je les ai entendus parler à travers la grille, papa.

— Oh! petit rusé. Raconte-nous ce que tu as entendu, Hansel.

— J'ai entendu pleurer Frau Koch, papa.

— Est-ce tout, Hansel?

— Non, papa, j'ai entendu parler l'homme très grand.

— Ah! le malin petit Hansel... Raconte à papa ce qu'il disait.

— Il disait : « Frau Koch, pouvez-vous me « décrire cet étranger? »

— Ha, ha... vous voyez qu'ils pensent que c'est un meurtre. Et qui pourrait prétendre qu'ils se trompent? Pourquoi Herr Koch se serait-il coupé la gorge dans son sous-sol?

— Papa, papa!...

— Quoi donc, petit Hansel?

— Quand j'ai regardé par la grille, j'ai vu du sang sur le charbon.

— Cet enfant est extraordinaire!... Comment pouvais-tu savoir que c'était du sang? La neige s'infiltre partout. »

L'homme se tourna vers Martins.

« Il a une imagination!... Il écrira peut-être des livres quand il sera grand. »

La petite figure gelée leva son regard solennel sur celle de Martins.

« Papa, dit l'enfant.

— Oui, Hansel.

— Lui aussi, c'est un étranger.

— Ecoutez-le, monsieur, écoutez-le, dit fièrement l'homme avec un gros rire qui fit retourner une douzaine de têtes, il pense que c'est vous qui avez fait le coup, rien que parce que vous êtes étranger. Comme si l'on ne voyait pas plus d'étrangers que de Viennois à Vienne, de nos jours!

— Papa, papa!

— Oui, Hansel?

— Les voilà qui sortent! »

Un cordon de police entourait la civière recouverte avec laquelle ils descendaient les marches du perron prudemment, de peur de glisser sur la neige à demi fondue.

« Ils n'ont pas pu faire entrer la voiture d'ambulance dans cette rue, dit l'homme, à cause des ruines. Ils vont le porter à bras jusqu'au coin. »

Fermant la marche, apparut Frau Koch. Elle avait un châle sur la tête et portait un vieux manteau de toile d'emballage. Lorsqu'elle s'enfonça dans un amoncellement de neige, au bord

du trottoir, sa forme épaisse prit l'aspect d'un
bonhomme de neige. Quelqu'un l'aida à en
sortir, et elle se retourna pour jeter un regard
de désespoir sur cette foule d'inconnus. S'il se
trouvait parmi eux quelques amis, ses yeux,
errant d'un visage à l'autre, ne les reconnut pas.
Quand elle passa devant Martins, il se pencha
pour tripoter son lacet de chaussure. Mais en se
relevant, il se trouva à la hauteur de l'œil scru-
tateur, fixe et glacé du petit gnome Hansel.

Martins redescendit la rue et rejoignit Anna;
en marchant, il se retourna et vit l'enfant qui
tirait son père par la main, tandis que ses lèvres
formaient sans arrêt les deux syllabes : « papa »,
comme le refrain d'une lugubre ballade.

« Koch a été assassiné, dit-il à Anna, partons
vite d'ici. »

Il marchait aussi rapidement que la neige le
lui permettait, tournant un coin, puis l'autre.
La méfiance et la vigilance de l'enfant semblaient gagner la ville tout entière comme un
nuage qui grossit; ils ne parvenaient pas à marcher assez vite pour sortir de son ombre. Martins n'écoutait pas ce que lui disait Anna :

« Donc, Koch avait dit la vérité : « Il y avait
« un troisième homme. » Puis, un peu plus
tard : « C'est un crime, sans aucun doute :

on ne tue pas un homme pour cacher moins qu'un crime. »

A l'extrémité de la rue, les tramways étincelaient en passant comme des glaçons. En arrivant sur le Ring, Martins dit :

« Il vaut mieux que vous rentriez seule chez vous. Je me tiendrai à l'écart jusqu'à ce que les choses soient débrouillées.

— Mais personne ne peut vous soupçonner.

— Ils posent déjà des questions au sujet de l'étranger qui a rendu visite à Koch hier. Je vais avoir des ennuis pendant quelque temps.

— Pourquoi n'allez-vous pas trouver la police?

— Ils sont tellement bornés là-dedans! Je n'ai pas confiance en eux. Rappelez-vous de quoi ils accusent Harry... Sans compter que j'ai essayé de frapper cet homme qui s'appelle Callaghan. Ils seront trop contents de m'attraper. Le moins qu'ils puissent me faire est de m'expulser de Vienne. Tandis que si je reste tranquille, une seule personne pourrait me dénoncer : Cooler.

— Et il s'en gardera.

— Oui, s'il est coupable. Mais je ne peux pas croire qu'il soit coupable. »

Avant de le quitter, Anna lui dit :

« Soyez très prudent. Koch savait bien peu de chose et ils l'ont tué. Vous en savez autant que Koch. »

Cet avertissement lui occupa l'esprit, chemin faisant, jusqu'à l'hôtel Sacher. Après 9 heures, les rues sont très vides, et Martins tournait la tête chaque fois qu'il entendait derrière lui un bruit de pas feutrés, comme si ce troisième homme que les autres avaient protégé aussi impitoyablement avait été un bourreau à ses trousses. Devant le Grand-Hôtel, la sentinelle russe avait l'air frigorifié, mais c'était un homme, avec une face d'homme, une honnête face de paysan aux yeux de Mongol. Le troisième homme n'avait pas de visage : ce n'était que le haut d'une tête aperçu d'en haut, par une fenêtre.

Au Sacher, Mr. Schmidt lui dit :

« Le colonel Calloway a demandé après vous, monsieur. Je crois que vous le trouverez au bar.

— Je reviens tout de suite », répondit Martins en ressortant vivement de l'hôtel. Il avait besoin de réfléchir. Mais à peine fut-il dehors qu'un homme s'avançait vers lui, et lui disait avec fermeté, en touchant sa casquette :

« S'il vous plaît, monsieur... »

Il ouvrit largement la portière d'une camion-
nette peinte en kaki, qui portait le drapeau
anglais peint sur le pare-brise, et d'une main
ferme y fit monter Martins. Celui-ci se laissa
faire sans résister; il ne doutait pas que tôt ou
tard on ne lui posât quelques questions. L'opti-
misme qu'il avait montré devant Anna Schmidt
n'était que feint.

Le chauffeur conduisait trop vite, et dange-
reusement sur le sol couvert de verglas, et Martins protesta. La seule réponse qu'il obtint fut
un grognement maussade et une phrase grom-
melée où il saisit le mot « ordres ».

« Est-ce qu'on vous a donné l'ordre de me
tuer? » demanda Martins.

Cette fois, il n'eut aucune réponse.

Il aperçut, en un éclair, les Titans de la
Hofburg qui soutenaient de grands globes de
neige au-dessus de leur tête, puis la voiture plon-
gea dans un dédale de rues mal éclairées, au-
delà desquelles Martins perdit tout sens de la
direction.

« Est-ce encore loin? »

Mais le chauffeur n'eut même pas l'air d'entendre. « Du moins, pensa Martins, je ne suis
pas en état d'arrestation, puisqu'ils n'ont pas
envoyé d'escorte. « On m'invite » (n'est-ce pas le

mot qu'ils ont employé?) à me rendre au poste de police pour faire une déclaration. »

La voiture s'arrêta et le chauffeur conduisit Martins au second étage d'une maison. Il sonna à une grande porte, derrière les deux battants de laquelle Martins entendit un brouhaha de voix nombreuses. Il se retourna vers le chauffeur pour demander : « Où diable?... » mais le chauffeur avait déjà descendu l'escalier et la double porte s'ouvrait. Les yeux éblouis par le brusque passage de l'obscurité du dehors à la vive lumière de la pièce, il entendit Crabbin sans l'avoir vu surgir.

« Oh! Mr. Dexter! Nous étions dans une grande inquiétude, mais mieux vaut tard que jamais. Permettez-moi de vous présenter à Miss Wilbraham et à la Gräfin von Meyersdorf. »

Un buffet couvert de tasses à café, un percolateur couronné de vapeur, un masque de femme luisant sous l'effort; deux jeunes gens dont la figure reflétait l'intelligente allégresse d'un élève de sixième; puis, tout au fond, serrés les uns contre les autres comme les portraits d'un album de famille, la multitude des visages aux traits démodés, défraîchis, convaincus et guillerets des fidèles lecteurs. Martins regarda derrière lui, mais la porte s'était refermée.

« Je suis navré, dit-il, ne sachant à quel saint se vouer, mais...

— N'y pensez plus, interrompit Mr. Crabbin. Une tasse de café, et puis nous continuerons la discussion. Nous avons une très bonne salle ce soir. Vous serez porté par votre auditoire, Mr. Dexter. »

Un des jeunes gens lui mit une tasse dans la main et l'autre y ajouta du sucre, avant que Martins eût pu dire qu'il aimait le café nature. Le cadet des deux garçons lui susurra à l'oreille :

« Mr. Dexter, après la séance, voulez-vous me signer un de vos livres? »

Une grosse dame en soie noire s'abattit sur lui et déclara :

« Ça m'est bien égal si la Gräfin m'entend, Mr Dexter, mais je n'aime pas vos livres. Ils ne me plaisent pas. Je trouve qu'un roman doit raconter une belle histoire.

— Moi aussi, dit Martins à bout de forces.

— Allons, Mrs. Bannock, il faut attendre le moment des questions.

— Je sais que ma franchise est excessive, mais je suis sûre que Mr. Dexter apprécie les critiques honnêtes. »

Une vieille dame, que Martins supposa être la Gräfin, parla :

« Je ne lis pas beaucoup de livres anglais, Mr. Dexter, mais l'on m'a dit que les vôtres...

— Voulez-vous vider votre tasse?... » lui dit Mr. Crabbin. Il le poussa ensuite jusque dans une salle intérieure où quelques personnes d'âge étaient assises en demi-cercle, sur des chaises, et attendaient avec une patience mélancolique.

Martins ne put me raconter en détail cette réunion. Son esprit était encore embrumé par l'idée de la mort. Quand il levait les yeux, il s'attendait toujours à voir le petit Hansel et à entendre son perpétuel refrain d'information : « Papa, papa... » Il semble bien que Crabbin déclara la séance ouverte, et fit un exposé. Or, tel que je le connais, Crabbin leur traça, j'en suis sûr, un tableau très lucide, loyal et objectif de la littérature romanesque contemporaine en Angleterre Je l'ai très souvent entendu faire cette causerie, où les seules variantes venaient de la place prépondérante donnée à l'œuvre du romancier qui se trouvait en visite. Il dut aborder avec légèreté quelques problèmes de technique, points de vue, transitions, puis déclarer que la discussion était ouverte et que l'on pouvait interroger Mr. Dexter.

La première question échappa complètement à Martins mais, heureusement, Crabbin combla

le vide et répondit, à la satisfaction générale.
Une femme, qui portait un chapeau marron et
un bout de fourrure autour du cou, dit avec un
intérêt passionné :

« Puis-je demander à Mr. Dexter s'il est en
train d'écrire une nouvelle œuvre?

— Oui, oh! oui...

— Puis-je demander le titre ?

— *Le Troisième Homme,* répondit Martins
qui se sentit envahi par une illusoire confiance
en lui, parce qu'il avait franchi cet obstacle.

— Mr. Dexter, pouvez-vous nous dire quel
est l'écrivain qui vous a le plus influencé?

— Grey », répondit Martins sans réfléchir.

Naturellement, il pensait à l'auteur des *Cavaliers de la Sauge écarlate,* et il se réjouit de voir
que sa réponse paraissait rencontrer l'approba-
tion générale. Il n'y eut qu'un vieil Autrichien
qui s'écria :

« Grey! Quel Grey? Je ne connais pas ce
nom. »

Martins se crut hors de danger, aussi répondit-il :

« Zane Grey, je n'en connais pas d'autre. »

Il fut dérouté par les rires discrets qui montèrent de la colonie anglaise. Crabbin s'interposa très vite, volant au secours des Autrichiens :

« C'est une petite plaisanterie de Mr. Dexter. Il veut parler de Gray, le poète Gray, un génie doux, subtil et discret : les affinités sont faciles à retracer.

— Et son nom est Zane Gray?

— C'est là que Mr. Dexter plaisantait. Zane Grey a écrit ce que nous appelons des « westerns », de petits romans vulgaires sur des bandits et des cow-boys.

— Ce n'est donc pas un grand écrivain?

— Non, non. Loin de là, dit Mr. Crabbin. Au sens strict du mot je ne l'appellerais même pas un écrivain. »

Martins me raconta qu'en entendant cette déclaration, il sentit monter en lui les premiers frémissements de la révolte. Jusque-là, il ne s'était jamais considéré comme un écrivain, mais il fut irrité par la cuistrerie de Crabbin, au point que la façon dont la lumière se reflétait sur les lunettes de Crabbin lui semblait une cause supplémentaire d'agacement.

« Ce n'était qu'un amuseur public, dit Crabbin.

— Et pourquoi diable ne pas l'être? demanda Martins d'un air féroce.

— Oh! vous savez... je voulais dire simplement...

— Qu'était donc Shakespeare? »

Un auditeur très audacieux répondit :

« Un poète.

— Avez-vous jamais lu Zane Grey?

— Non, vraiment je ne peux pas dire...

— Alors, vous ne savez pas de quoi vous parlez. »

Un des deux jeunes gens tenta de venir au secours de Crabbin.

« Et James Joyce, où placeriez-vous James Joyce, Mr. Dexter?

— Que voulez-vous dire par placer? Je n'ai pas l'intention de placer qui que ce soit où que ce soit. »

La journée avait été terriblement remplie : il avait trop bu avec Cooler, il était tombé amoureux, un homme avait été assassiné et maintenant il avait le sentiment absolument injustifié qu'on lui en voulait. Zane Grey était un de ses héros : il n'allait foutre pas supporter toutes leurs niaiseries.

« Je veux dire : le mettriez-vous parmi les très grands?

— Pour ne rien vous cacher, je n'ai jamais entendu parler de lui. Quels livres a-t-il écrits? »

Il ne s'en rendait pas compte, mais il faisait

un effet énorme. Seul, un grand écrivain pouvait prendre cette attitude arrogante si originale. Plusieurs personnes notèrent Zane Grey
sur l'envers d'une enveloppe, et la Gräfin chuchota, d'une voix éraillée, à Crabbin :

« Comment s'écrit Zane?

— Je vous avoue que je n'en suis pas sûr. »

Un certain nombre de noms furent lancés
simultanément à la tête de Martins, de petits
noms pointus comme Stern, des cailloux ronds
comme Woolf. Un jeune Autrichien, le front
voilé d'une longue mèche noire intellectuelle,
cria : « Daphné du Maurier. » Mr. Crabbin fit
la grimace et lança un regard de côté à Martins
en lui disant :

« Soyez-leur indulgent. »

Une femme douce, au visage plein de bonté,
vêtue d'un chandail tricoté à la main, demanda
d'un air désenchanté :

« Ne trouvez-vous pas comme moi, Mr. Dexter, que personne, personne, n'a décrit les sentiments aussi poétiquement que Virginia
Woolf?... Je veux dire en prose. »

Crabbin chuchota :

« Vous pourriez leur dire quelque chose sur
l'orientation de la conscience morale.

— L'orientation de quoi? »

Une note de désespoir se glissa dans la voix de Crabbin :

« Je vous en prie, Mr. Dexter, ces gens sont vos sincères admirateurs. Ils veulent vous entendre exprimer vos opinions. Si vous saviez comme ils ont assiégé la société pour vous voir! »

Un vieil Autrichien éleva la voix :

« Existe-t-il en Angleterre, à l'heure actuelle, un écrivain qui soit à la taille de feu John Galsworthy? »

Il y eut une explosion de furieux pépiements d'où fusèrent les noms de Du Maurier, Priestley et d'un certain Morgan. Taciturne, Martins, renversé dans son fauteuil, revoyait la neige, la civière, le visage désespéré de Frau Koch. Il pensait : « Si je n'y étais pas retourné, si je n'avais pas posé de questions, ce petit homme serait-il encore en vie? » Avait-il servi à Harry en livrant une nouvelle victime... une victime sacrifiée à la peur par Herr Kurtz, ou Cooler (il ne pouvait le croire). Le docteur Winkler? Aucun des trois ne semblait correspondre à l'idée sordide, macabre, de ce crime commis dans un sous-sol. Il entendait encore l'enfant dire : « J'ai vu du sang sur le charbon », et il voyait quelqu'un tourner vers lui un visage vide,

dépourvu de traits, un œuf en plasticine grise,
le troisième homme.

Martins aurait été incapable de dire comment il se tira du reste de la discussion. Crabbin essuya-t-il à lui seul l'orage? Fut-il aidé par
une partie de l'auditoire qui se mit à discuter
avec animation l'adaptation à l'écran d'un roman américain très connu? Il se rappelait peu
de choses sur ce qui précéda le discours final que
fit Crabbin en son honneur. Ensuite, un des
jeunes gens le conduisit à une table où s'entas-
saient des livres et lui demanda de les signer.

« Nous n'avons accepté qu'un livre par
membre de l'Institut.

— Que dois-je faire?

— Rien qu'une signature. C'est tout ce qu'ils
attendent. Voici mon exemplaire de *La Proue
recourbée*. Je vous serais très reconnaissant si
vous consentiez à écrire quelques mots... »

Martins prit sa plume et écrivit : « De la part
de B. Dexter, auteur du *Cavalier solitaire de
Santa Fe* », et le jeune homme, le visage empreint d'une grande perplexité, lut cette phrase
avant de la sécher avec un buvard. Lorsque
Martins fut assis et qu'il se mit à apposer sa
signature sur les pages de titre de Benjamin
Dexter, il aperçut dans un miroir le jeune

homme qui montrait la dédicace à Crabbin.
Crabbin souriait d'un pâle sourire en se cares-
sant le menton de haut en bas d'un geste ma-
chinal. « B. Dexter, B. Dexter, B. Dexter »,
écrivait rapidement Martins : après tout, ce
n'était pas un mensonge. Un à un, chaque livre
était repris par son propriétaire qui disait une
petite phrase de louanges et d'allégresse comme
s'il faisait la révérence. Etre un écrivain, était-
ce cela? Martins sentit monter en lui une irritation prononcée contre Benjamin Dexter.
« Quel cuistre ennuyeux, pédant et solennel »,
pensa-t-il en signant le vingt-septième exemplaire de la *La Proue recourbée*. Chaque fois
qu'il levait les yeux pour prendre un nouveau
livre, il rencontrait le regard méditatif et inquiet de Crabbin. Les membres de l'Institut
commençaient à rentrer chez eux, chargés de
leur butin. La salle se vidait. Brusquement,
Martins aperçut dans le miroir la silhouette
d'un agent de la police militaire. Il avait l'air
de discuter avec un des jeunes gardes du corps
de Crabbin. Martins crut distinguer son propre
nom. C'est alors qu'il perdit tout sang-froid,
en même temps que sa dernière parcelle de bon
sens. Il ne lui restait plus qu'un livre à signer :
il traça à la hâte un ultime B. Dexter, et se

précipita vers la porte. Le jeune homme, Crabbin et le policier formaient un groupe dans l'entrée.

« Et ce monsieur? demanda le policier.

— C'est Mr. Benjamin Dexter, répondit le jeune homme.

— La toilette? Y a-t-il une toilette? s'enquit Martins.

— J'avais cru comprendre qu'un certain Mr. Rollo Martins était venu ici dans une de vos voitures.

— C'est une erreur, une erreur évidente.

— Deuxième porte à gauche », dit le jeune homme.

En passant, Martins attrapa son manteau au vestiaire et se mit à descendre l'escalier. Sur le palier du premier étage, il entendit quelqu'un monter et par-desssus la rampe, reconnut Paine que j'avais envoyé pour l'identifier. Martins ouvrit une porte au hasard et la referma derrière lui. Il entendit Paine passer son chemin. La pièce où il se trouvait était dans l'obscurité; un étrange gémissement le fit se retourner, face à la pièce, quelle qu'elle fût.

Rien n'était visible et le son avait cessé. Il fit un très léger mouvement, le son recommença, semblable à une respiration gênée. Il s'immo-

bilisa et le bruit s'éteignit. Au-dehors, quelqu'un appelait : « Mr. Dexter! Mr. Dexter! »
Alors, il entendit un son nouveau. On eût dit
que des chuchotements, un long monologue
ininterrompu montait de l'ombre.

« Qui est là? » dit Martins, et de nouveau le
son cessa.

Il ne put plus le supporter. Il sortit son bri-
quet. Il entendit des bruits de pas sur le palier
et qui se perdaient en descendant l'escalier. Il
appuya à plusieurs reprises sur la petite roue
sans qu'aucune lumière en jaillît. Quelqu'un
bougea dans l'ombre et ce mouvement s'accom-
pagna d'un cliquetis de chaînes dans l'espace.
Il demanda, une fois de plus, avec la colère que
fait naître la peur :

« Qui est là? »

Seul le clic! clac! métallique lui répondit.

Martins tâtonna désespérément à droite et à
gauche pour trouver un interrupteur électrique.
Il n'osait plus s'avancer davantage, car il ne
savait pas où pouvait être l'autre occupant de
la chambre : le chuchotement, le gémissement,
le cliquetis, tout avait cessé. Il eut alors peur
d'avoir perdu la porte et chercha aveuglément
la place du bouton. La police l'effrayait beaucoup moins que les ténèbres, et il ne se dou-

tait pas qu'il faisait beaucoup plus de bruit.

Paine l'entendit du bas de l'escalier et remonta. Il donna la lumière sur le palier et ce fut le rayon sous la porte qui guida Martins. Il ouvrit et souriant faiblement à Paine se retourna pour examiner une seconde fois la pièce. Comme des perles rondes de verroterie, les yeux d'un perroquet le dévisagèrent.

« Nous vous cherchions, monsieur, dit respectueusement Paine, le colonel Calloway désire vous parler.

— Je me suis perdu, dit Martins.

— Oui, monsieur. C'est bien ce que nous avons supposé. »

Chapitre X

Un rapport extrêmement précis m'avait été transmis sur les mouvements de Martins à partir du moment où l'on me signala qu'il n'avait pas pris l'avion pour l'Angleterre. Il avait été vu en compagnie de Kurtz, puis au théâtre Joseph-stadt; j'étais au courant de sa visite au docteur Winkler, puis à Cooler et de son retour dans la maison où Lime avait vécu. Je ne sais comment mon agent perdit sa trace entre l'appartement de Cooler et celui d'Anna Schmidt; son rapport signalait que Martins avait erré de côté et d'autre; nous avions tous les deux l'impression qu'il l'avait fait délibérément, pour mettre en défaut le policier chargé de sa filature. J'essayai de le rattraper à l'hôtel Sacher et je le manquai de justesse.

Les événements avaient pris une tournure inquiétante, aussi décidai-je que le moment était

venu d'avoir avec lui un nouvel entretien. Il
me devait beaucoup d'explications.

J'offris une cigarette à Martins que je fis
asseoir en face de moi, en mettant entre lui et
moi la largeur d'un solide bureau. Je le trouvai
renfrogné, mais prêt à parler, dans certaines
limites. Je lui demandai des renseignements sur
Kurtz, et j'eus l'impression qu'il me répondait
de façon satisfaisante. Je le questionnai ensuite
au sujet d'Anna Schmidt et je conclus d'après
ses réponses qu'il était allé la voir après sa
visite à Cooler. Cela comblait un des vides. Je
mis la conversation sur le docteur Winkler et il
m'en parla sans difficulté.

« Vous avez beaucoup circulé, lui dis-je; avez-
vous découvert quelque chose en ce qui concerne
votre ami?

— Oh! oui, dit-il, vous aviez le nez dessus,
mais vous ne l'avez pas vu.

— Quoi donc?

— Qu'il a été assassiné. »

Ceci me prit par surprise. J'avais été effleuré
par l'idée qu'il pourrait s'agir d'un suicide, mais
j'avais renoncé même à cette possibilité.

« Expliquez-vous », lui dis-je.

Il essaya de me raconter l'histoire sans faire
allusion à Koch, en me parlant d'un témoin qui

avait vu l'accident. Cela rendait son récit assez
confus, et je ne pus saisir, au premier moment,
pourquoi il attachait tant d'importance à la
présence d'un troisième homme.

« Il ne s'est pas présenté à l'enquête et les
autres ont menti pour le couvrir.

— Votre témoin ne s'est pas présenté non
plus. Je ne vois pas la portée de sa défection. Si
l'accident était authentique, nous avions tous
les témoignages nécessaires. Pourquoi compromettre cet autre type? Peut-être que sa femme le
croyait ailleurs... peut-être était-ce un fonctionnaire absent sans permission... il arrive que les
gens s'offrent un petit tour à Vienne, alors
qu'ils devraient se trouver à Klagenfurt par
exemple... Les délices de la grande ville, pour
ce qu'ils sont!

— C'est plus compliqué que ça. Ce petit bonhomme qui me l'a raconté, ils l'ont exécuté.
Voyez-vous, ils ignoraient, c'est évident, si c'était
la seule chose qu'il avait vue.

— Ah! bon, nous y sommes! Vous voulez
parler de Koch.

— Oui.

— Pour ce que nous en savons, vous êtes la
dernière personne à l'avoir vu vivant. »

Je l'interrogeai alors, comme je l'ai écrit,

pour découvrir s'il avait été suivi jusque chez
Koch par un homme plus habile que mon policier et qui serait resté invisible.

« La police autrichienne, dis-je, a grande
envie de vous attribuer ce crime. Frau Koch a
raconté au commissaire que son mari était resté
très troublé par votre visite. Qui d'autre était
au courant?

— J'en ai parlé à Cooler, dit-il avec agitation, et peut-être qu'après mon départ il a téléphoné toute l'histoire à quelqu'un... au troisième homme. Ils ont été forcés de fermer la
bouche de Koch.

— Quand vous avez parlé à Cooler de Koch,
celui-ci était déjà mort. Cette nuit-là, il a entendu
du bruit, s'est levé, est descendu au sous-sol...

— Alors, je suis éliminé. J'étais à l'hôtel
Sacher.

— Mais il est allé se coucher de fort bonne
heure. Votre visite avait ramené sa migraine.
C'est peu après neuf heures qu'il s'est levé. Vous
n'êtes rentré au Sacher qu'à neuf heures trente.
Où étiez-vous dans l'intervalle?

— J'ai tourné en rond, et j'ai essayé d'y voir
clair.

— Avez-vous un témoin, une preuve de ce
que vous avancez?

— Non. »

Je tenais à lui faire peur; aussi eût-il été absurde de lui révéler qu'il avait été suivi sans arrêt. Je savais qu'il n'avait pas coupé la gorge de Koch, mais je n'étais pas sûr qu'il fût aussi innocent qu'il voulait bien le dire. Le propriétaire du couteau n'est pas toujours le vrai meurtrier.

« Puis-je fumer une cigarette?

— Oui.

— Comment savez-vous, demanda-t-il, que je suis allé chez Koch? C'est pour ça que vous m'avez traîné ici, n'est-ce pas?

— La police autrichienne...

— Elle ne m'avait pas identifié.

— A peine l'aviez-vous quitté que Cooler me téléphonait.

— Voici qui l'innocente. S'il avait été dans le coup, il n'aurait pas éprouvé le besoin de vous raconter mon histoire... je veux dire l'histoire de Koch.

— Il pouvait aussi avoir l'astuce de penser que vous seriez assez raisonnable pour venir me faire part de vos aventures dès que vous apprendriez la mort de Koch. Au fait, comment l'avez-vous apprise? »

Il me le raconta, sans la moindre hésitation,

et je le crus. C'est alors que je me mis à croire
sans réserve tout ce qu'il me racontait.

« Je m'obstine à refuser de croire que Cooler
soit dans le jeu, dit-il, je parierais n'importe
quoi qu'il est honnête. C'est un de ces Américains qui ont le sens du devoir...

— Oui, répondis-je, c'est exactement ce qu'il
m'a dit en me téléphonant. Il s'en est même
excusé! Voilà ce que c'est, m'a-t-il dit, que
d'avoir été élevé dans le respect des obligations
du citoyen. Il a ajouté que ça lui donnait l'air
d'un poseur... Pour ne rien vous cacher, Cooler
m'agace. Bien entendu, il ne sait pas que je suis
au courant de ses combines de pneus!...

— Alors, il fait partie, lui aussi, d'une bande
de trafiquants?

— Oui, mais ça n'est pas très sérieux. S'il a
mis à gauche vingt-cinq mille dollars c'est tout
le bout du monde. D'ailleurs, je ne suis pas le
citoyen modèle, moi. Que les Américains s'occu-
pent de leurs nationaux!

— Ah! diable! dit-il pensivement, est-ce le
genre de trafic auquel Harry se livrait?

— Non. Le sien était beaucoup moins inof-
fensif.

— Je vous avoue, dit-il, que cette histoire, la
mort de Koch, m'a ébranlé. Peut-être Harry

était-il mêlé à quelque chose de très moche.
Peut-être qu'il essayait de s'en dégager et que
c'est pour cela qu'ils l'ont assassiné.

— A moins, répliquai-je, qu'ils n'aient voulu
augmenter leur part de butin. Il arrive que les
malfaiteurs se disputent. »

Cette fois, il accepta mes paroles sans colère.

« Nous ne sommes pas d'accord en ce qui
concerne les motifs, mais je crois que vous expo-
sez les faits avec exactitude. Je regrette ce que
j'ai fait l'autre jour.

— N'en parlons plus. »

Il y a des moments, celui-ci en était un, où il
faut prendre des décisions-éclairs. Je lui devais
quelque chose en échange des renseignements
qu'il m'avait apportés.

« Je vais vous révéler, lui dis-je, un nombre
suffisant de faits concernant le cas de Harry
pour que vous compreniez. Mais tenez-vous bien,
vous allez recevoir un choc. »

Ce serait certainement un choc. La guerre,
puis la paix (si l'on peut appeler cela la paix)
ont permis à un grand nombre de combines
véreuses de se donner libre cours, mais nulle
n'est plus honteuse que celle-ci. Les gens qui
faisaient du marché noir sur la nourriture
avaient au moins le mérite de vous fournir de

la nourriture et l'on peut en dire autant de tous les trafiquants qui vendaient des denrées rares à des prix abusifs. Mais le trafic de pénicilline est quelque chose de totalement différent. En Autriche, la pénicilline n'est fournie qu'aux hôpitaux militaires : les médecins civils, même dans un hôpital civil, ne pouvaient pas en obtenir par les moyens légaux. Sous sa forme primitive, la fraude était relativement inoffensive. La pénicilline était volée, puis vendue pour des sommes d'argent fantastiques à des médecins autrichiens; une ampoule pouvait atteindre jusqu'à soixante-dix livres. On pouvait encore dire que c'était une forme de répartition... répartition injuste puisqu'elle favorisait le malade riche, mais c'est à peine si la répartition originale pouvait prétendre à plus de justice.

Ce trafic continua sans encombre pendant quelque temps. De loin en loin, quelqu'un était arrêté et puni, mais le danger ne faisait que faire monter le prix de la pénicilline. Puis, la fraude s'organisa : les gros combinards y virent la grosse galette, et le voleur original, s'il gagna moins d'argent pour sa peine, fut assuré d'une certaine sécurité. Quand il lui arrivait quelque chose, on s'occupait de le tirer d'embarras. La nature humaine a, elle aussi, d'étranges raisons biscornues que le cœur ignore certainement. Bien des petits tripoteurs se sentaient la conscience soulagée par le sentiment qu'ils travaillaient pour un patron; ils devinrent bientôt, à leurs propres yeux, aussi honorables que des fonctionnaires; ils faisaient partie d'un groupe, et s'il y avait culpabilité, les chefs de ce groupe étaient les coupables. Une combine de ce genre fonctionne à peu près d'après les mêmes principes qu'un parti totalitaire.

Cette phase, je l'ai appelée la deuxième phase. La troisième vint lorsque les organisateurs décidèrent que les bénéfices n'étaient pas suffisants. Il ne serait pas toujours impossible de se procurer de la pénicilline par des moyens licites. Ils voulurent faire plus d'argent et plus rapidement pendant qu'ils le pouvaient. Ils commencèrent à diluer la pénicilline dans de l'eau colorée, et quand elle était en poudre à y mêler du sable. J'ai tout un petit musée dans un tiroir de mon bureau et j'en montrai à Martins quelques spécimens. Cette conversation ne le réjouissait guère, mais il n'en avait pas encore saisi le sens.

« Je suppose, dit-il, que le remède devenait inefficace.

— Si ce n'était que cela, lui répondis-je, nous ne nous en inquiéterions pas tant, mais réflé-

chissez. Les effets de la pénicilline sont suppri-
més par ce mélange. Ce qu'on prévoit de mieux
c'est que l'usage du produit falsifié rend le trai-
tement par la pénicilline appliqué à un certain
malade inefficace pour l'avenir. Ce qui n'est pas
drôle, d'ailleurs, si vous êtes atteint d'une maladie vénérienne. D'autre part, employer du sable
sur une blessure qui a besoin de pénicilline...
disons que ce n'est pas sain. Il est même arrivé
que des hommes y perdent un bras, une jambe,
ou la vie. Mais ce qui m'a sans doute inspiré la
plus grande horreur, c'est quand j'ai visité l'hôpital des enfants, ici à Vienne. On y avait acheté
de cette pénicilline pour soigner des méningites.
Un grand nombre d'enfants se contentèrent d'en
mourir, mais beaucoup devinrent fous. Vous pouvez les retrouver dans les pavillons d'aliénés. »

Assis de l'autre côté de mon bureau, il avait
caché d'un air maussade son visage dans ses mains.

« Si l'on y pense vraiment, l'idée en est assez
insoutenable, n'est-ce pas? lui dis-je.

— Vous ne m'avez pas encore donné la preuve
que Harry...

— Nous y venons, répondis-je. Ne bougez pas
et écoutez. »

J'ouvris le dossier de Lime et me mis à lire.
Au début, il ne contenait que des preuves par

présomption, et Martins s'agitait sur sa chaise.
Il ne semblait s'agir que de coïncidences : des
agents signalaient dans leurs rapports que Lime
avait été vu à un certain endroit, à une certaine
heure; qu'il disposait d'une quantité de possibilités, qu'il fréquentait telles et telles personnes.
Martins protesta :

« Mais ces mêmes indices pourraient être re-
levés en ce moment contre moi...

— Attendez un moment », lui dis-je.

Pour quelque obscure raison, Lime avait cessé
de prendre garde. Peut-être avait-il compris que
nous le soupçonnions et s'était-il affolé. Il occupait une situation des plus distinguées, et c'est
dans ce cas-là qu'un homme s'affole le plus facilement. Nous plaçâmes un de nos agents comme
planton à l'hôpital militaire britannique; nous
connaissions déjà le nom de celui qui servait d'intermédiaire, mais nous n'avions jamais réussi à
remonter tout à fait jusqu'aux sources. Quoi
qu'il en soit, je ne désire pas accabler le lecteur
de la même façon que j'accablai Martins, par le
récit de toutes les étapes de la longue lutte que
nous menâmes pour gagner la confiance de cet
intermédiaire, un certain Harbin. Enfin, nous
parvînmes à lui serrer les pouces, à les lui serrer
jusqu'à ce qu'il se mette à table. Cette forme

d'activité policière ressemble beaucoup au travail du service secret. On cherche un agent
double sur lequel on a un véritable contrôle,
et Harbin était exactement l'homme qu'il nous
fallait. Mais même lui ne nous mena que jusqu'à
Kurtz.

« Kurtz! s'écria Martins. Mais pourquoi ne
l'avez-vous pas arrêté?

— L'heure H est sur le point de sonner »,
dis-je.

Kurtz marquait un grand pas en avant, car
Kurtz était en communication directe avec Lime.
Il occupait un petit poste rattaché aux services
d'assistance sociale. Avec Kurtz, Lime échangeait
parfois des messages écrits, lorsqu'il était pressé. Je
montrai à Martins le photostat d'une courte lettre.

« Pouvez-vous identifier ceci?

— C'est l'écriture de Harry. » Il lut jusqu'au
bout. « Je n'y vois rien de mal.

— Non, mais lisez à présent ce mot de
Harbin à Kurtz que nous avions dicté : ceci en
est le résultat. Regardez la date. »

Il lut les deux lettres à deux reprises.

« Vous voyez ce que je veux dire? »

Si nous étions témoins de la fin d'un monde,
je ne crois pas que nous nous mettrions à bavarder; et, certainement, pour Martins, un

monde venait de prendre fin, un monde de confiance, d'amitié facile, d'admiration d'un héros, qui avait commencé vingt ans auparavant... dans un corridor d'école. Tous les souvenirs : après-midi sur l'herbe longue, chasses clandestines à la carabine dans le communal de Brickworth, rêves, promenades, s'étaient desséchés simultanément, comme le sol d'une ville détruite par une bombe atomique. De longtemps, l'on ne pourrait plus s'y promener en sécurité. Pendant qu'il restait là, à regarder ses mains sans rien dire, j'allai chercher dans un placard une précieuse bouteille de whisky, et j'en versai deux grands verres.

« Tenez, dis-je, buvez ça. »

Il m'obéit comme si j'étais son médecin. Je remplis une seconde fois son verre.

« Etes-vous sûr, dit-il lentement, que c'était lui le vrai patron?

— C'est tout ce que nous avons trouvé jusqu'à présent.

— Parce qu'il avait plutôt tendance à sauter avant de regarder. »

Je ne lui opposai pas de démenti, bien qu'il m'eût donné une impression différente de Lime dans ses déclarations précédentes. Il cherchait partout un réconfort.

« Et si Harry avait été victime d'un chantage, dit-il, si on l'avait forcé à entrer dans cette combine, comme vous avez forcé Harbin à jouer un double jeu...

— C'est possible.

— Et si on l'avait assassiné de peur qu'il ne parle quand il serait arrêté...

— Ce n'est pas impossible.

— Je suis content qu'ils l'aient fait, ajouta-t-il. Je n'aurais pas aimé entendre Harry donner ses copains. »

D'un curieux petit geste de la main, il épousseta son genou comme pour dire : « Voici une affaire réglée. » Il conclut tout haut : « Je vais repartir pour l'Angleterre.

— Je préférerais que vous restiez encore un peu. La police autrichienne lancera un mandat d'arrêt contre vous si vous tentez de quitter Vienne en ce moment. N'oubliez pas que, poussé par son sens du devoir, Cooler l'a prévenue en même temps que moi.

— Je vois, dit-il, abandonnant toute résistance.

— Quand nous aurons retrouvé le troisième homme...

— Celui-là, dit-il, je voudrais bien être présent quand il mangera le morceau, cette crapule, cette infecte crapule...

CHAPITRE XI

APRÈS m'avoir quitté, Martins s'en alla boire
jusqu'à l'abrutissement. Il choisit dans ce but
« L'Oriental », la petite boîte de nuit sinistre
et enfumée qui s'ouvre derrière une façade
d'un exotisme de bazar en face de l'église Saint-
Basile. Mêmes photographies de demi-nudités
sur le mur de l'escalier, mêmes Américains à
moitié ivres au bar, mêmes mauvais vins et in-
descriptibles gins; il aurait pu entrer dans n'importe quel cabaret de troisième ordre, dans n'importe quelle capitale miteuse d'une Europe
miteuse. A un certain moment des lugubres
petites heures du matin, la Patrouille internationale entra pour y jeter un coup d'œil. Martins
avait bu verre sur verre; il aurait probablement aussi pris une femme, mais les entraîneuses
de la boîte étaient toutes rentrées chez elles et
il ne restait pour ainsi dire plus de femmes,

si ce n'est une journaliste française, très belle, à l'œil sagace, qui fit une réflexion à son compagnon, puis s'endormit dédaigneusement.

Martins changea d'endroit. Chez « Maxim », quelques couples mélancoliques dansaient et dans une boîte qui s'appelait « Chez Victor », le chauffage était détraqué et les clients avaient gardé leur pardessus pour boire des cocktails. Déjà, devant les yeux de Martins tournoyaient des taches, et le sentiment de sa solitude l'angoissait. Son esprit revenait à la jeune fille de Dublin, à la jeune fille d'Amsterdam. Ces choses-là, du moins, ne trompent pas : l'alcool sec, l'amour physique sans phrase. On ne demande pas à une femme d'être fidèle. Ses pensées gravitaient en cercles de la sentimentalité à la concupiscence, puis abandonnaient la confiance pour le cynisme.

Les trams ne circulaient plus. Il partit à pied, avec la volonté obstinée de retrouver l'amie de Harry. Il voulait faire l'amour avec elle, comme ça, pas de romanesque, pas d'histoires. Il se sentait d'humeur violente, mais la route couverte de neige ondulait comme la surface d'un lac et cela fit partir son imagination dans une autre direction, celle de la mélancolie, de l'amour éternel, de la renonciation.

Il devait être trois heures du matin lorsqu'il grimpa l'escalier conduisant à la chambre d'Anna. Son ivresse s'était presque complètement dissipée et il n'avait plus qu'une idée en tête : apprendre à Anna la vérité au sujet de Harry. Il avait l'impression que cette révélation acquitterait la main-morte que le souvenir fait peser sur les êtres humains, et lui donnerait une chance de succès auprès de l'amie de Harry. Quand un homme est amoureux, il ne lui vient pas à l'idée que la femme ne s'en est pas aperçue : il croit l'avoir dit nettement par un ton de voix, un frôlement de main. Lorsque Anna lui ouvrit la porte, tout étonnée de le voir se dresser sur le seuil avec sa tête ébouriffée, il ne comprit pas qu'elle ouvrait la porte à un étranger.

« Anna, dit-il, j'ai tout appris.

— Entrez, dit-elle, vous n'avez pas besoin d'éveiller toute la maison. »

Elle était en robe de chambre; le divan transformé en lit avait cet aspect sens dessus dessous qui montre que son occupant n'a pas pu trouver le sommeil.

« Alors, qu'y a-t-il? demanda-t-elle, tandis qu'il restait là, debout, à chercher ses mots. Je croyais que vous alliez vous tenir éloigné de moi pen-

dant quelque temps. Est-ce que la police vous
recherche?

— Non.

— Cet homme, vous ne l'avez pas tué, n'est-ce
pas?

— Bien sûr que non.

— Vous êtes ivre?

— Un peu. »

Il répondait d'une voix maussade. La visite ne
semblait pas tourner comme il fallait. Il ajouta
avec colère :

« Pardonnez-moi!

— Pourquoi? Je ne serais pas mécontente de
boire un peu, moi-même.

— J'ai vu les gens de la police anglaise. Ils
sont convaincus que je ne suis pas coupable.
Mais c'est eux qui m'ont tout appris. Harry trafiquait : un sale trafic. Il ne valait rien, ajouta
Martins désespérément, nous nous sommes trom-
pés, vous et moi.

— Je préfère que vous me disiez tout », dit
Anna.

Elle s'assit sur le lit et il lui raconta tout,
debout et oscillant légèrement à côté de la
table où le rôle dactylographié était toujours
ouvert à la première page. J'imagine qu'il le
lui raconta de manière confuse, en insistant sur-

tout sur ce qui s'était gravé le plus profondément dans son esprit : les enfants morts de mé-
ningite et les enfants au pavillon des maladies
mentales. Quand il s'arrêta, ils gardèrent tous
les deux le silence. Puis, elle demanda :

« Est-ce tout?

— Oui.

— Vous n'aviez pas bu quand ils vous ont dit
tout ça? Ils vous l'ont vraiment prouvé?

— Oui, répondit-il d'un ton morne, voilà ce
qu'était Harry.

— Maintenant, je suis contente qu'il soit
mort, dit-elle, je n'aurais pas voulu le voir pour-
rir dans une prison pendant des années.

— Mais, pouvez-vous comprendre comment
Harry, votre Harry, mon Harry, a pu se trouver
mêlé...? » Il continua avec désespoir : « Il me
semble qu'il n'a jamais existé, que nous l'avons
rêvé. Est-ce que pendant tout ce temps-là il se
moquait des imbéciles que nous étions?

— Peut-être. Qu'est-ce que ça peut faire?
dit-elle. Asseyez-vous. Ne vous tourmentez
pas. »

Il s'était imaginé en train de la consoler, mais
n'avait pas prévu l'inverse.

« S'il était vivant, dit-elle encore, il pourrait
peut-être tout nous expliquer. Mais il faut que

nous nous le rappelions tel que nous l'avons
connu. Il y a tellement de choses qu'on ignore
dans un être, fût-ce un être aimé, de bonnes
choses, de mauvaises choses... Il faut leur laisser
beaucoup de place à toutes...

— Ces enfants...

— Pour l'amour du Ciel, dit-elle en se fâ-
chant, cessez de fabriquer les gens à votre image.
Harry était réel. Il n'était pas simplement votre
héros et mon amant. Il était Harry. C'était un
trafiquant. Il a fait de vilaines actions. Et
puis après? Il était l'homme que nous connaissions.

— Vous pouvez rengainer tous vos proverbes,
dit-il, vous ne voyez donc pas que je vous
aime? »

Elle le regarda, abasourdie : « Vous?

— Oui, dit-il, moi. Je ne tue pas les
gens avec des remèdes falsifiés. Je ne suis pas
un hypocrite qui persuade les autres qu'il est
le plus grand... Je ne suis qu'un mauvais
écrivain qui boit trop et qui tombe amoureux
des filles...

— Mais je ne sais même pas de quelle couleur sont vos yeux, dit-elle. Si vous m'aviez
appelée au téléphone, il y a un moment, pour
me demander si vous étiez brun ou blond ou si

vous portiez une moustache, je n'aurais pas su.

— Est-ce que vous ne pourriez pas penser à autre chose qu'à Lui?

— Je ne peux pas.

— Dès que cette affaire du meurtre de Koch sera tirée au clair, dit Martins, je vais quitter Vienne. Cela ne m'intéresse plus de savoir si Kurtz a tué Harry ou si c'est le troisième homme. Celui qui l'a tué, qui que ce soit, a agi selon une sorte de justice. Peut-être que je l'aurais tué moi-même dans les mêmes circonstances. Pourtant, vous l'aimez encore. Vous aimez un escroc, un meurtrier.

— J'aimais un homme, répondit-elle, je vous l'ai déjà dit. Un homme n'est pas différent parce qu'on découvre des choses à son sujet. Il est toujours le même homme.

— J'ai horreur de la façon dont vous parlez. J'ai un mal de tête horrible et vous parlez, vous parlez...

— Je ne vous ai pas demandé de venir.

— Vous faites tout pour m'irriter. »

Brusquement, elle éclata de rire.

« Vous êtes trop comique, dit-elle. Vous arrivez ici à trois heures du matin, vous que je ne connais pas, et vous me dites que vous m'aimez. Ensuite, vous vous mettez en colère et vous me

cherchez querelle. Que voulez-vous que je fasse
ou que je dise?

— Je ne vous avais jamais vue rire. Recom-
mencez. Ça me plaît.

— Ce n'est pas assez drôle pour deux éclats
de rire. »

Il la prit par les épaules et la secoua doucement.

« Je ferais des grimaces grotesques toute la
journée, dit-il. Je me tiendrais sur la tête et je
vous regarderais en ricanant entre mes jambes.
J'apprendrais un tas de plaisanteries dans les
bonnes-histoires-à-dire-après-dîner.

— Ecartez-vous de la fenêtre. Il n'y a pas de
rideaux.

— Il n'y a personne pour me regarder », répondit-il, mais il vérifia automatiquement ce
qu'il venait d'affirmer, car il n'en était pas tel-
lment sûr : une ombre longue qui venait de
bouger, peut-être à cause du passage d'un nuage
devant la lune, redevint immobile.

« Vous aimez encore Harry, n'est-ce pas? demanda-t-il.

— Oui.

— Moi aussi, peut-être, je ne sais pas. » Il
laissa retomber ses mains et ajouta : « Il faut
que je file. »

Il s'éloigna d'un pas rapide. Il ne prit pas la peine de regarder s'il était suivi, de s'assurer que l'ombre n'était qu'une ombre. Mais en passant au bout de la rue, il se retourna par hasard et vit juste après le coin, aplatie contre un mur pour ne pas se montrer, une silhouette épaisse et courte. Martins s'arrêta et fixa longuement le personnage qui lui paraissait familier. « Peut-être, pensa-t-il, me suis-je graduellement habitué à lui pendant ces dernières vingt-quatre heures. Peut-être est-ce un de ces hommes qui ont si scrupuleusement noté tous mes mouvements. » Martins resta là, à regarder à vingt pas la forme immobile et silencieuse qui de la sombre ruelle l'observait en retour. Espion de la police, à moins que ce ne fût un agent de ces autres hommes, les hommes qui avaient d'abord corrompu Harry et qui l'avaient tué. Il était même possible qu'il s'agît là du troisième homme...

Ce n'était pas le visage qui lui était familier, car il ne distinguait même pas l'angle de la mâchoire. Ce n'était pas un mouvement, car le corps gardait une telle immobilité que Martins commença à se demander s'il n'était pas victime d'une illusion, d'un jeu d'ombre. Il cria d'une voix péremptoire :

« Que voulez-vous? »

Pas de réponse. Il cria de nouveau avec l'irascibilité des gens ivres :

« Vous ne voulez pas répondre? »

Il y eut une réponse, car le rideau d'une fenêtre fut soulevé dans un mouvement d'humeur par un dormeur qu'il avait réveillé, et le rayon de lumière, en traversant la ruelle étroite, vint éclairer en plein le visage de Harry Lime.

CHAPITRE XII

« CROYEZ-VOUS aux fantômes? me demanda Martins.

— Et vous?

— Maintenant, j'y crois.

— Je crois aussi que les hommes voient des choses quand ils sont ivres... quelquefois des rats, quelquefois pire. »

Il n'était pas venu tout de suite me raconter son histoire. Seul, le danger qui menaçait Anna Schmidt l'avait précipité dans mon bureau, comme un noyé que la mer rejette sur le rivage, le visage couvert d'une barbe de plusieurs jours, les vêtements en désordre, hanté par une aventure à laquelle il ne comprenait rien.

« S'il n'y avait eu que ce visage, me dit-il, je ne me serais pas inquiété. J'avais beaucoup pensé à Harry et de là à prendre un inconnu pour lui!... La lumière s'éteignit aussitôt, je

n'avais fait qu'entrevoir l'homme (en admettant
que ce fût un homme) qui partit et descendit
la rue. Il n'y avait pas de tournant sur une
longue distance, mais j'étais tellement abasourdi
que je lui laissai prendre trente pas d'avance.
Il se dirigea vers un kiosque à journaux et dis-
parut un moment à ma vue. Je me mis à courir.
Il me fallut dix secondes pour arriver au kiosque.
Il m'avait certainement entendu courir, mais
ce qui est étrange, c'est qu'il ne reparut pas.
Je fis le tour du kiosque, il n'y avait personne.
La rue était vide. Il était impossible qu'il eût
gagné l'entrée d'une maison sans me rencontrer. Il s'était volatilisé.

— Ce qui est naturel de la part d'un fantôme ou d'une illusion!...

— Mais je ne crois pas avoir été soûl à ce
point-là.

— Qu'avez-vous fait ensuite?

— Je suis allé boire un peu plus. J'avais les
nerfs en charpie.

— Est-ce que cela a ramené le fantôme?

— Non, mais cela m'a fait retourner chez
Anna. »

Je crois qu'il n'aurait jamais osé venir me
raconter cette histoire absurde, n'eût été l'attentat contre Anna Schmidt. Lorsqu'il me la ra-

conta, ma théorie fut qu'en réalité quelqu'un
le guettait, mais que seules sa nervosité et son
ébriété avaient collé sur ce visage inconnu les
traits de Harry Lime. Ce guetteur avait noté
sa visite à Anna Schmidt et en avait avisé un
membre de la bande noire, la bande de la pénicilline, par téléphone. Cette nuit-là, les événements se déroulèrent avec rapidité. Vous vous
rappelez que Kurtz habitait la zone russe, le
district n° 2 très exactement, dans la Mariahilfe
Strasse, cette rue vide, large et désolée, qui
descend jusqu'à la Prater Platz. Un homme
comme ça avait dû s'assurer de puissants appuis.
L'accord policier conclu dès l'origine entre les
Alliés confinait la police militaire (chargée des
crimes impliquant le personnel d'occupation)
à la zone particulière de la puissance à laquelle
elle appartenait, sauf les cas où elle était auto-
risée à pénétrer dans une autre zone. Je n'avais
qu'à téléphoner à mon vis-à-vis de la zone américaine ou française pour envoyer mes agents
opérer une arrestation ou poursuivre une enquête. Il se passait parfois quarante-huit heures
avant que je pusse obtenir la permission russe,
mais, en pratique, il y a peu de cas où il soit
nécessaire de travailler plus vite que cela. Même
en Angleterre, il n'est pas toujours possible d'ob-

tenir plus rapidement un mandat de perquisition ou l'autorisation de ses supérieurs de détenir quelqu'un de suspect.

Ceci étant, si je voulais m'emparer de Kurtz, je ferais aussi bien d'attendre qu'il se hasardât dans la zone britannique.

Lorsque à 4 heures du matin, Martins complètement ivre, revint dire à Anna qu'il avait vu le fantôme de Harry, un concierge apeuré qui ne s'était pas encore rendormi, lui apprit qu'elle venait d'être emmenée par la Patrouille internationale.

Voici ce qui s'était passé : vous vous rappelez que la Russie était au pouvoir en ce qui concernait l'*Inner Stadt*. Or, les Russes reçurent l'information que Anna Schmidt était ressortissante russe munie de faux papiers. Aussi, au milieu de la ronde, les policiers russes dirigèrent-ils la voiture vers la rue où habitait Anna.

Devant l'immeuble de Anna Schmidt, l'Américain se mit brusquement de la partie et demanda en allemand de quoi il s'agissait. Appuyé contre le capot, le Français alluma une « caporal » qui empestait. La France n'était pas en cause et rien de ce qui ne mettait pas la France en cause ne présentait pour lui de véritable intérêt. Le Russe parvint à sortir quelques mots

d'allemand tout en brandissant des papiers.
D'après ce que les autres purent comprendre, la
police russe recherchait un ressortissant russe
qui habitait dans cette maison et dont les papiers n'étaient pas en règle. Ils montèrent et
trouvèrent Anna au lit, mais je ne pense
pas qu'elle avait dormi depuis la visite de
Martins.

Il y a un côté très comique dans ces situa-
tions quand vous n'y êtes pas directement inté-
ressé. C'est dans une atmosphère de terreur eu-
ropéenne générale, de perquisitions domici-
liaires et de disparitions, quand on a eu un père
appartenant au parti perdant, que la peur do-
mine l'impression de comédie. Imaginez la
scène : le Russe refusait de quitter la chambre;
l'Américain ne voulait pas laisser une jeune
fille sans protection; quant au Français... mon
Dieu, je pense que le Français devait trouver
la scène drôle. Voyez-vous le tableau? Le Russe
était en service commandé et il surveillait la
jeune fille sans la moindre lueur d'intérêt
sexuel; l'Américain, chevaleresque, avait tourné
le dos; le Français fumait toujours sa cigarette
en regardant avec un détachement amusé
l'image d'Anna en train de s'habiller, reflétée
par la glace de l'armoire; l'Anglais était resté

dans le couloir et se demandait ce qu'il allait faire.

Je ne voudrais pas que vous pensiez que le policier anglais fit trop mauvaise figure dans cette affaire. Dans le couloir, comme il n'avait pas besoin d'être chevaleresque, il eut le temps de réfléchir, et ses réflexions le conduisirent jusqu'au téléphone de l'appartement voisin. Il se mit en communication directe avec mon appartement et me tira des profondeurs de mon premier sommeil. C'est pourquoi lorsque Martins m'appela une heure après, je savais déjà ce qui causait son agitation, et cela fit naître en lui une foi imméritée mais fort utile en l'efficacité de mes moyens d'action. A partir de ce soir-là, je ne l'entendis plus faire d'astuces sur les policiers et les shérifs.

Quand le M. P. revint dans la chambre d'Anna, une dispute avait éclaté. Anna avait dit à l'Américain qu'elle avait des papiers autrichiens (ce qui était vrai) et qu'ils étaient tout à fait en règle (ce qui était nettement exagéré). En mauvais allemand, l'Américain dit au Russe qu'il n'avait pas le droit d'arrêter une citoyenne autrichienne. Il demanda à Anna ses papiers et, lorsqu'elle les montra, le Russe les lui prit.

« Hongroise, dit-il en montrant la jeune fille

du doigt. Hongroise. » Puis il se mit à agiter les papiers en l'air : « Mauvais, mauvais! »

L'Américain, qui s'appelait O'Brien, s'interposa :

« Rendez les papiers à cette demoiselle. »

Bien entendu, le Russe ne comprit pas. L'Américain posa la main sur la crosse de son revolver et le caporal Starling lui dit doucement :

« Laisse courir, Pat.

— Si ces papiers ne sont pas en ordre, on a le droit de regarder.

— Je te dis : laisse courir. Nous verrons ces papiers au Commissariat central.

— C'est terrible, vous autres Britanniques, vous n'avez jamais le cran de résister.

— Oh! ça va », dit Starling qui s'était trouvé à Dunkerque, mais qui savait se taire à l'occasion.

Brusquement le chauffeur freina; il y avait un embouteillage. Je savais qu'ils seraient forcés de passer devant mon poste auxiliaire. Je mis la tête à la fenêtre et dis au Russe en bredouillant dans sa propre langue :

« Que faites-vous dans la zone britannique? »

Il grommela que c'était un ordre.

« Un ordre de qui? Je veux le voir. »

Je notai la signature, c'était un renseignement utile.

« Ceci, dis-je, vous ordonne d'appréhender une certaine femme de nationalité hongroise, criminelle de guerre, vivant dans la zone britannique avec de faux papiers. Montrez-moi ces papiers. »

Il se lança dans une longue explication.

« Ces papiers, dis-je, me paraissent tout à fait en ordre, mais je vais les faire étudier et j'enverrai un rapport à votre colonel. Il peut, naturellement, demander l'extradition de cette femme s'il le veut. Tout ce que nous exigeons, c'est la preuve de ses activités criminelles.

« Descendez de la voiture, dis-je à Anna. »

Je mis un paquet de cigarettes dans la main du Russe en lui disant : « Vous fumerez à ma santé. » Je fis aux autres un bonjour de la main, poussai un soupir de soulagement, et l'incident fut clos.

Chapitre XIII

Pendant que Martins me racontait comment il était revenu chez Anna et l'avait trouvée partie, je réfléchissais profondément. Je ne me sentais satisfait ni par cette histoire de fantôme, ni par l'idée que l'homme au visage de Harry Lime pouvait n'avoir été qu'une illusion d'ivrogne. Je sortis deux plans de Vienne et les comparai l'un à l'autre. Je réduisis Martins au silence avec un verre de whisky et, appelant mon assistant au téléphone, lui demandai s'il avait pu trouver trace de Harbin. Il me répondit que non; selon les renseignements, Harbin avait quitté Klagenfurt la semaine précédente pour se rendre dans sa famille qui résidait dans la zone adjacente. On a toujours envie de faire tout soi-même; il faut se garder d'une excessive sévérité envers ses cadets. Je suis convaincu que je n'aurais jamais laíssé Harbin nous échapper, mais j'aurais probablement commis une quantité d'erreurs que mon cadet avait évitées.

« C'est bon, dis-je, continuez vos recherches et tâchez de le retrouver.

— Je suis désolé, monsieur.

— N'y pensez plus. Ces choses-là arrivent. »

Sa jeune voix enthousiaste (si seulement l'on pouvait conserver cet enthousiasme pour une besogne de routine... combien d'occasions, d'éclairs de lucidité l'on perd, simplement parce qu'une besogne n'est plus qu'une besogne), sa voix vibra le long du fil.

« Savez-vous, monsieur, je ne puis m'empêcher de penser que nous avons écarté trop facilement la possibilité d'un meurtre. Il y a un ou deux points...

— Notez-les par écrit, Carter.

— Oui, monsieur. Je crois, monsieur, si vous me permettez de le dire (Carter est un très jeune homme), je crois que nous devrions ordonner une exhumation. Il n'y a pas de véritable preuve que Lime soit mort au moment précis que les autres ont déclaré.

— Je suis de votre avis, Carter. Mettez-vous en rapport avec les autorités. »

Martins avait raison!... Je m'étais conduit comme un parfait imbécile. Mais rappelez-vous

qu'un travail de police dans une ville occupée
ne ressemble en rien au travail de la métropole.
Tout vous y est nouveau; les méthodes des
collègues étrangers, la valeur des témoignages
et jusqu'à la façon de conduire une enquête.
Je pense que j'en étais arrivé à cet état d'esprit
où l'on se fie trop souvent à son jugement personnel. Je m'étais senti immensément soulagé
par la mort de Lime. Je m'étais contenté de la
version de l'accident.

« Avez-vous regardé à l'intérieur du kiosque
à journaux, ou était-il fermé à clef?

— Oh! ce n'était pas exactement un kiosque à
journaux, répondit-il. C'était un de ces kiosques
en fer plein que l'on voit partout, couverts
d'affiches.

— Je voudrais que vous me montriez l'endroit.

— Mais Anna est-elle en sécurité?

— Mes agents surveillent son appartement.
Ils ne feront pas d'autre tentative pour le moment. »

Comme je ne voulais pas mettre le quartier en
émoi par le départ d'une voiture de police, nous
prîmes des tramways, plusieurs tramways, en
changeant de lignes et nous entrâmes dans le
district à pied. Je ne portais pas mon uniforme;

d'ailleurs, je pensais qu'après l'échec de leur
attentat contre Anna, ils ne se risqueraient pas
à nous faire suivre.

« Voici le tournant », dit Martins, qui me
fit prendre une rue de côté.

Nous nous arrêtâmes au kiosque.

« Il est passé derrière ceci et il a disparu
comme dans une trappe.

— C'est exactement ce qu'il a fait.

— Que voulez-vous dire? »

Un passant non averti ne pouvait remarquer
que le kiosque avait une porte; en outre, il
faisait nuit lorsque l'homme avait disparu. Je
tirai la porte à moi, et montrai à Martins le
petit escalier en colimaçon qui s'enfonçait dans
les profondeurs du sol.

« Bon Dieu! dit-il, alors je n'ai pas rêvé...

— C'est une des entrées de l'égout collecteur.

— Et n'importe qui peut y descendre?

— N'importe qui.

— Jusqu'où peut-on aller?

— On traverse tout Vienne. Les gens s'y
réfugiaient pendant les raids aériens, et quel-
ques-uns de nos prisonniers s'y sont cachés et y
ont vécu deux ans. Ça a servi à des déserteurs...
et à des voleurs. Quand on connaît bien la
ville, on peut ressortir à peu près où l'on veut

par une bouche d'égout ou un kiosque semblable à celui-ci. Les Autrichiens sont obligés
d'employer une police spéciale pour la sur-
veillance de ces égouts. » Je refermai la porte
du kiosque. « C'est donc de cette manière que
votre ami Harry a disparu.

— Vous croyez vraiment que c'était Harry?

— Tout semble le prouver.

— Alors, qui ont-ils enterré?

— Je ne sais pas, mais nous le saurons bientôt, car nous allons faire une exhumation. J'ai
une vague idée que Koch n'est pas le seul
homme gênant qu'ils aient assassiné.

— C'est comme un coup de massue.

— Oui.

— Qu'allez-vous faire?

— Je ne sais pas. Vous pouvez être sûr qu'il
se cache en ce moment dans une autre zone.
Nous ne pouvons plus arriver jusqu'à Kurtz,
maintenant que Harbin est brûlé : il est certainement brûlé, sans cela ils n'auraient pas fait
toute cette mise en scène de mort et d'enterrement.

— Mais c'est bizarre, n'est-ce pas, que Koch
n'ait pas reconnu de sa fenêtre la figure de ce
mort.

— La fenêtre est très haut placée et j'ima-

gine que la figure avait été rendue méconnais-
sable avant qu'ils sortent le corps de la voiture.

— Je voudrais, dit Martins pensivement, pouvoir parler un peu avec lui. Voyez-vous, il y a
trop de choses que je ne peux pas arriver à
comprendre.

— Sans doute êtes-vous le seul qui puisse lui
parler. Mais c'est risqué, parce que vous en
savez trop.

— Je ne peux pas y croire... Je n'ai fait
qu'entrevoir ce visage. Que puis-je faire?

— Il ne quittera plus sa zone, à présent. La
seule personne qui pourrait le persuader de
venir de ce côté, c'est vous... ou elle, s'il croit
encore que vous êtes ses amis. Mais il faut que
ce soit vous d'abord. Je ne vois pas le moyen.

— Je peux aller voir Kurtz, j'ai son adresse.

— Rappelez-vous, lui dis-je, que lorsque vous
serez dans la zone russe, Lime peut très bien
vous empêcher d'en partir. Et je ne pourrai pas
vous protéger.

— Je veux tirer au clair cette nom de Dieu
d'histoire, dit Martins. Mais je refuse de jouer
les Judas. Je lui parlerai. C'est tout. »

CHAPITRE XIV

LA fallacieuse paix du dimanche s'étendait sur Vienne; le vent était tombé et il n'avait pas neigé depuis vingt-quatre heures. Toute la matinée, les trams avaient été pleins : ils allaient à Grinzing où l'on boit du vin nouveau et sur les pistes de neige des collines environnantes. En traversant le canal par le pont militaire provisoire, Martins avait conscience du vide de cet après-midi; les jeunes étaient partis avec leurs toboggans et leurs skis, il ne restait plus autour de lui que la somnolence de l'âge mûr qui faisait la sieste. Un panneau indicateur l'avertit qu'il pénétrait dans la zone russe, mais il ne vit aucun signe d'occupation. On rencontrait plus de soldats russes dans l'*Inner Stadt* qu'ici.

Il avait volontairement négligé d'avertir Mr. Kurtz de sa visite. Mieux valait le sur-

prendre que de trouver une réception préparée
en son honneur. Il avait pris soin d'emporter
sur lui tous ses papiers, y compris le laissez-
passer des quatre puissances qui, sur simple
présentation, l'autorisait à circuler librement
dans toutes les zones de Vienne. Tout était
extraordinairement tranquille par ici, de l'autre
côté du canal, dans ce quartier dont un journaliste amateur de mélodrame avait tracé un tableau de terreur silencieuse. La vérité était tout
simplement les rues larges, les dégâts plus grands
causés par les bombardements, les passants plus
rares, et le dimanche après-midi. Il n'y avait rien
à craindre, mais tout de même dans cette énorme
rue vide, où l'on ne cessait d'entendre le bruit
de ses propres pas, on ne pouvait s'empêcher
de regarder derrière soi.

Il n'eut aucune difficulté à trouver l'immeuble
où habitait Mr. Kurtz et, lorsqu'il sonna, la
porte fut ouverte aussitôt par Mr. Kurtz lui-
même, comme si celui-ci attendait un visiteur.

« Oh! dit-il, c'est vous, Rollo », et il se ca-
ressa le dessus de la tête d'un geste embarrassé.
Martins s'était demandé pourquoi Mr. Kurtz
lui semblait si différent, et maintenant il comprenait : Mr. Kurtz ne portait pas sa perruque,
et cependant son crâne n'était pas chauve. Il

avait une chevelure parfaitement normale, coupée court.

« Il eût mieux valu me téléphoner, dit-il, vous avez failli me manquer, j'allais sortir.

— Puis-je entrer un moment?

— Naturellement. »

Dans le vestibule, la porte d'un placard était ouverte, et Martins aperçut le pardessus de Mr. Kurtz, son imperméable, deux chapeaux souples, et enfin, bien sagement accrochée à une patère, la perruque de Mr. Kurtz.

« Je suis content de voir que vos cheveux ont repoussé », dit Martins, qui s'étonna de voir dans le miroir couvrant la porte du placard que le visage de Mr. Kurtz était brusquement envahi par une flamme et une rougeur de haine. Quand il se retourna, Mr. Kurtz lui souriait d'un air de conspirateur.

« Cela tient chaud à la tête, dit-il vaguement.

— A la tête de qui? » demanda Martins, car l'idée lui était venue que cette perruque avait pu être fort utile le jour de l'accident. « Peu importe », poursuivit-il très vite, le but de sa visite n'était pas, en effet, d'interroger Mr. Kurtz.

« Je suis venu pour voir Harry.

— Harry?

— Je veux lui parler.

— Etes-vous fou?

— Je suis pressé, alors admettons que je sois fou. Prenez seulement note de ma folie. Si vous voyez Harry ou son fantôme, dites-lui que je désire lui parler. Un fantôme n'a pas peur d'un homme, sûrement? Ce doit être l'inverse. Pendant les deux heures qui viennent, j'attendrai sur le Prater, près de la Grande Roue. Si vous pouvez entrer en communication avec les morts, dépêchez-vous. » Il ajouta : « Rappelez-vous que j'étais l'ami de Harry. »

Kurtz ne répondit pas, mais une personne invisible, dans une chambre qui ouvrait sur le vestibule, toussa pour s'éclaircir la gorge. Martins ouvrit une porte d'un geste violent, s'attendant presque à voir le mort apparaître, mais il ne trouva là que le docteur Winkler, assis sur une chaise de cuisine. Le docteur se leva, salua d'une flexion de corps très raide avec son habituel craquement de celluloïd.

« Docteur Winkle », dit Martins.

Le docteur Winkler avait l'air extraordinairement déplacé dans une cuisine. Les débris d'un déjeuner pris sur le pouce, qui couvraient la table de bois blanc, et la vaisselle sale s'accordaient fort mal avec l'hygiène du docteur Winkler.

« Winkler, rectifia-t-il avec une patience de pierre.

— Mettez le docteur au courant de ma folie, dit Martins à Kurtz. Peut-être pourra-t-il faire un diagnostic. Et rappelez-vous l'endroit : près de la Grande Roue. A moins que les fantômes ne se promènent que la nuit. »

Il quitta l'appartement.

Il attendit pendant une heure en faisant les cent pas pour se réchauffer, à l'intérieur de la clôture de la Grande Roue. Le Prater écrasé, dont le squelette perçait de lignes brutales la couche de neige, était presque vide. Devant une baraque où l'on vendait un gâteau mince et plat, rond comme une roue de charrette, des enfants faisaient la queue, leurs tickets à la main. Quelques couples amoureux s'engouffraient ensemble dans le même wagon de la Roue et tournaient lentement au-dessus de la ville, entourés de wagons vides. Quand le wagon atteignait le sommet de la Roue, elle s'arrêtait de tourner pendant deux minutes et l'on voyait tout là-haut de minuscules visages se presser contre la vitre. Martins se demanda qui allait venir. Harry avait-il encore en lui assez d'amitié pour venir seul, ou se ferait-il remplacer par un peloton de policiers? Il avait conservé une

certaine influence, l'attentat contre Anna
Schmidt en témoignait. Puis, au moment où
l'aiguille de sa montre dépassait l'heure, Martins
se demanda : « Mon imagination a-t-elle tout
inventé? est-ce le corps de Harry qu'ils sont en
train de déterrer au cimetière central? »

Derrière l'échoppe du marchand de gâteaux,
un homme se mit à siffler un air que Martins
reconnut. Il se retourna et attendit. Etait-ce
d'émotion ou de crainte que son cœur battait
si fort...? ou n'était-ce qu'à cause des souvenirs
que cet air faisait revivre? car tout s'était toujours mis à vivre plus vite quand Harry arrivait,
arrivait comme maintenant, exactement... il ne
s'était pas passé grand-chose, personne n'avait
été mis au tombeau, ou n'avait été trouvé dans
un sous-sol, la gorge tranchée... il arrivait avec
son air amusé, qui allait au-devant des reproches,
son air de dire : c'est à prendre ou à laisser... et
naturellement on le prenait toujours!

« Harry!

— Rollo! bonjour. »

Ne vous imaginez pas Harry sous les traits
d'une cauteleuse canaille. Il était tout autre.
Le portrait de lui que j'ai dans mon dossier est
excellent; il a été surpris dans la rue par un
photographe ambulant; ses jambes courtaudes

sont écartées, ses grandes épaules un peu voû-
tées, son ventre a connu trop de bonne nourriture trop longtemps, et sur sa figure éclate une
gredinerie franche, joyeuse, confiante avec la
certitude que sa chance lui vaudra partout la
victoire. Il ne commit pas l'erreur de tendre à
Martins une main qui aurait pu être refusée.
Il se contenta de lui toucher le coude en disant :

« Comment va?

— Nous avons à parler, Harry.

— Bien sûr.

— Seul à seul.

— Impossible d'être plus seuls qu'ici. »

Il avait toujours été débrouillard, et, même
au milieu de ce Luna-Park en ruines, il parvint
à se débrouiller. Il donna un pourboire à la
femme qui vendait les billets et ils eurent une
voiture à eux tout seuls.

« Autrefois, dit Harry, c'étaient les amoureux qui faisaient ça, mais maintenant, pauvres
diables, ils n'ont plus assez d'argent. »

Et, par la vitre du wagon qui montait en
oscillant, Harry regardait d'un air de commi-
sération qui semblait sincère les silhouettes de
plus en plus petites, tout en bas.

Très lentement, d'un côté, sombrait la ville;
très lentement, de l'autre côté, montait la grande

charpente à croisillons de la Roue. A mesure que l'horizon reculait, le Danube devenait visible et les piles du Pont Kaiser Friedrich s'élevaient au-dessus des maisons.

« Allons, dit Harry, ça fait plaisir de vous voir, Rollo.

— J'étais à votre enterrement.

— Avouez que c'est assez brillant, ce que j'ai fait là.

— Pas très brillant pour votre amie. Elle y était aussi, en larmes.

— C'est une brave petite, dit Harry, je l'aime bien.

— Je n'ai pas cru les gens de la police, quand ils m'ont dit quelles étaient vos occupations.

— Je ne vous aurais pas écrit de venir, dit Harry, si je m'étais douté de ce qui allait se passer, mais je ne croyais pas que la police était à mes trousses.

— Est-ce que vous aviez l'intention de m'intéresser aux bénéfices?

— Mon vieux, jusqu'à présent, jamais je ne vous ai tenu à l'écart de quoi que ce soit. »

Adossé à la portière du wagon qui se balançait en continuant son ascension, il souriait à Rollo Martins, qui se le rappelait dans un coin de la cour du collège exactement dans la même

attitude et en train de lui dire : « J'ai trouvé
un moyen de sortir la nuit. Absolument sans
danger. Tu es le seul à qui je confie mon
secret. » Pour la première fois, Rollo Martins fit
sans admiration un retour en arrière. Il pensait : « Il n'est jamais devenu adulte. » Les
diables de Marlow portaient des pétards attachés
à la queue; le mal ressemble à Peter Pan... il
possède le privilège horrible et horrifiant de
l'éternelle jeunesse.

« Avez-vous jamais visité l'hôpital des Enfants?
demanda Martins; avez-vous jamais vu vos victimes? »

Harry jeta un coup d'œil sur le paysage de
boîte à joujoux qui se déroulait au-dessous
d'eux, puis il s'écarta de la porte.

« Je ne me sens jamais en sécurité dans ces
machines-là », dit-il. Il passa sa main sur la
porte comme s'il craignait de la voir s'ouvrir
subitement et le précipiter dans cet espace en-
cerclé de fer.

« Mes victimes? Ne faites pas de mélodrame,
Rollo. Regardez un peu en bas. »

Il lui désignait du doigt, par la vitre, les
gens qui passaient comme des mouches noires au
pied de la Roue.

« Ressentiriez-vous une pitié réelle si l'une

de ces petites taches cessait de bouger... pour
toujours? Si je vous disais que je vais vous donner vingt mille livres pour chaque petite tache
qui deviendra immobile, est-ce que vraiment,
mon vieux, vous me diriez de garder mon
argent... sans hésitation? ou bien calculeriez-vous
combien de petites taches vous êtes prêt à sacrifier? Libre d'impôt sur le revenu, mon vieux,
libre d'impôt. »

Il sourit, de son enfantin sourire complice,
pour ajouter :

« C'est la seule façon d'économiser, de nos
jours.

— Pourquoi ne vous en êtes-vous pas tenu
aux pneus?

— Comme Cooler? Ah! non, j'ai toujours eu
de l'ambition. Mais ils ne pourront pas me
prendre, Rollo, vous verrez ce que je vous dis.
On ne peut empêcher un homme de montrer ce
qu'il vaut. »

Le wagonnet se balança avant de s'immobi-
liser au point le plus haut de la courbe; Harry
se retourna et regarda par la portière. Martins
pensait : « Je pourrais pousser un bon coup,
la vitre se casse... », et il imaginait le corps
tombant de cette hauteur parmi les mouches.

« Savez-vous, dit-il, que les policiers ont l'intention de vous exhumer... qui trouveront-ils?

— Harbin », répondit Harry avec simplicité. Il détourna son visage de la fenêtre et dit : « Regardez le ciel. »

Le chariot avait atteint le haut de la Roue et pendait, immobile, tandis que le soleil balafrait de traînées de couleur le ciel en papier froissé, derrière les traverses noires.

« Pourquoi les Russes ont-ils tenté d'arrêter Anna Schmidt?

— Mais elle avait de faux papiers, mon vieux!

— J'ai pensé que c'était vous qui essayiez de la faire passer dans cette zone... parce qu'elle était votre maîtresse? Parce que vous la vouliez près de vous?

— Je n'ai pas le bras si long..., dit Harry en souriant.

— Que lui serait-il arrivé?

— Rien de très grave. On l'aurait renvoyée en Hongrie. En réalité, on n'a rien à lui reprocher. Elle serait infiniment mieux dans son pays qu'à se faire harceler ici par la police britannique.

— Elle n'a rien raconté en ce qui vous concerne.

— C'est une brave petite, répéta Harry d'un ton de suffisance.

— Elle vous aime.

— Mon Dieu, tant que cela a duré, je lui ai donné du bon temps.

— Et moi, je l'aime.

— Bravo, mon vieux! Soyez bon pour elle. Elle le mérite. J'en suis très content. » (Il donnait l'impression qu'il venait d'arranger les choses à la satisfaction générale.) « Et vous pourrez veiller à ce qu'elle n'ouvre jamais la bouche. Bien qu'elle ne sache pas grand-chose d'important.

— J'ai envie de vous faire passer par la fenêtre.

— Mais vous ne le ferez pas, mon vieux. Nos querelles ne durent jamais longtemps. Vous vous rappelez cette affreuse dispute au Monaco, quand nous avons juré que c'était fini entre nous. J'ai en vous une confiance aveugle, Rollo. Kurtz a essayé de me persuader de ne pas venir, mais, moi, je vous connais. Ensuite, il a essayé de me persuader de... eh bien, d'arranger un accident. Il m'a dit que ce serait très facile dans cette voiture.

— Sauf que je suis plus fort que vous.

— Oui, mais, moi, j'ai le revolver. Vous ne pensez pas qu'une blessure de revolver se verrait encore si vous tombiez de cette hauteur? »

Le wagon se remit à tourner, lentement vers le bas, et peu à peu les mouches devinrent des hannetons, puis prirent la forme d'êtres humains.

« Que nous sommes bêtes, Rollo, de parler comme ça. Comme si je vous ferais une chose pareille... ou vous à moi. » Il tourna le dos et appuya sa joue contre la vitre. Une seule poussée... « Combien gagnez-vous par an avec vos romans de cow-boys?

— Un millier de livres.

— Imposées. J'en gagne trente mille sans impôts. C'est la mode. A notre époque, mon vieux, personne ne pense en fonction d'êtres humains, les Gouvernements les premiers, alors pourquoi nous? Eux parlent du peuple et du prolétariat. Moi, je parle de cochons de payants. C'est la même chose. Les gouvernements ont leurs plans quinquennaux, moi aussi.

— Jadis, vous étiez catholique.

— Oh! je crois encore, mon vieux. Je crois à Dieu, à la Miséricorde, à tout ça. En faisant ce que je fais, je ne nuis pas aux âmes. Les morts sont plus heureux comme ils sont. Ils ne perdent pas grand-chose, les pauvres diables! » ajouta-t-il avec son étrange nuance de sincère pitié, au moment où le wagon toucha le quai, et où leurs yeux rencontrèrent ceux des victimes condamnées, au visage fatigué d'avoir cherché à s'amuser tout un dimanche. « Je pourrais vous faire une place dans l'organisation, vous savez. Ce serait utile. Je n'ai plus personne dans l'*Inner Stadt*.

— Vous oubliez Cooler, et Winkler.

— Ne vous mettez pas à faire le policier, mon vieux. »

Ils sortirent du wagon et Harry posa de nouveau la main sur le coude de Martins.

« Je plaisantais, dit-il. Je sais bien que vous ne le ferez pas. Avez-vous eu des nouvelles de ce vieux Bracer, ces temps-ci?

— J'ai reçu une carte pour Noël.

— C'était le bon temps, mon vieux, c'était le bon temps. Il faut que je vous quitte ici. Nous nous reverrons, un de ces jours. Si vous avez un embêtement, vous pouvez toujours me joindre par Kurtz. »

Il s'éloigna et, se retournant, fit un geste d'adieu de la main qu'il avait eu le tact de ne pas offrir; on eût dit que le passé tout entier disparaissait derrière un nuage. Martins le rappela brusquement :

« Ne vous fiez pas à moi, Harry! »

Mais ils étaient déjà trop loin l'un de l'autre pour que les mots pussent porter.

Chapitre XV

« ANNA était au théâtre, me raconta Martins, pour la matinée du dimanche. Il me fallut assister à toute la pièce une seconde fois. Il s'agissait d'un pianiste sur le retour et d'une jeune fille qui l'aimait éperdument, en plus d'une épouse compréhensive, terriblement compréhensive. Anna jouait mal... c'était une mauvaise actrice même dans ses meilleurs moments. J'allai la voir ensuite dans sa loge où je la trouvai très agitée : je crois qu'elle pensait que j'allais lui faire des propositions et qu'elle n'en avait pas du tout envie. Je lui annonçai que Harry vivait et je crus qu'elle allait être contente, et que je serais furieux de la voir si contente, mais elle resta assise devant sa table à maquillage, tandis que ses larmes roulaient sur la crème grasse; alors, je me mis à regretter qu'elle n'eût pas été contente. Elle avait un visage effrayant

et je l'aimais. Je lui racontai mon entrevue avec
Harry, mais elle ne devait guère m'écouter, car
lorsque j'eus terminé elle me dit :

« — J'aurais préféré qu'il soit mort.

« — Il mériterait de l'être.

« — Je veux dire que, mort, il serait à l'abri...
« à l'abri de tout le monde. »

Je demandai à Martins : « Lui avez-vous montré les photos que je vous ai données, celles des
enfants?

— Oui. J'ai pensé que les remèdes héroïques
s'imposaient. Il fallait la débarrasser du poison
de Harry. J'ai posé les photos debout au milieu
des pots de maquillage. Elle ne pouvait pas ne
pas les regarder. Je lui ai dit : « Harry ne peut
« être arrêté que si la police parvient à l'attirer
« dans cette zone et il faut que nous aidions la
« police.

« — Je croyais qu'il était votre ami, a-t-elle
« dit.

« — Il *était* mon ami », ai-je répondu.

« Alors, elle m'a dit : « Je ne vous aiderai
« jamais à faire arrêter Harry. Je ne veux plus
« le revoir, je ne veux plus entendre sa voix.
« Je ne veux plus qu'il me touche, mais je re-
« fuse de lui faire du mal. »

« Je me sentais plein d'amertume. Je ne sais

pas pourquoi, car, après tout, je n'avais rien fait pour elle. J'en avais fait encore moins que Harry.

« Vous avez envie qu'il revienne », ai-je dit, comme si je l'accusais d'un crime.

« Elle m'a répondu : « Je n'ai pas envie qu'il « revienne, mais il est en moi. C'est un fait... « c'est différent de l'amitié. Quand je fais un « rêve amoureux en dormant, c'est toujours lui « qui est l'homme. »

Martins hésitait, je le poussai à parler :

« Alors?

— Oh! je me suis levé et je l'ai quittée. Maintenant, c'est à votre tour de me manœuvrer. Que voulez-vous que je fasse?

— Je veux agir vite. C'était bien le corps de Harbin qui était dans le cercueil, de sorte que nous pouvons arrêter Winkler et Cooler immédiatement. Kurtz est hors d'atteinte pour le moment, ainsi que le chauffeur. Nous allons envoyer aux Russes une demande officielle pour qu'ils nous permettent d'arrêter Kurtz et Lime : c'est pour la bonne forme de nos dossiers. Si nous décidons de vous employer comme appât, il faut que votre message aille à Lime directement et non quand vous aurez traîné vingt-quatre heures dans cette zone. Je vois la chose

comme ceci : on vous a amené ici pour vous
cuisiner dès votre retour dans l'*Inner Stadt;* je
vous ai appris qu'on avait retrouvé Harbin; vous
avez fait quelques rapprochements et vous êtes
allé avertir Cooler. Nous laisserons filer Cooler pour attraper le plus gros gibier. Nous
n'avons aucune preuve qu'il ait participé au
racket de la pénicilline. Il se sauvera
dans le deuxième district, pour aller retrouver Kurtz. Ainsi, Lime saura que vous avez
joué le jeu. Trois heures plus tard, vous lui
faites savoir que la police est à vos trousses, que
vous vous cachez et que vous avez besoin de le
voir.

— Il ne viendra pas.

— Je n'en suis pas sûr. Nous choisirons avec
soin notre cachette : dans un endroit où il pen-
sera que les risques sont les moindres. Ça vaut
la peine d'essayer. L'idée de vous tirer d'affaire
excitera son orgueil et son sens du comique. Et
il croira acheter votre silence.

— Il ne me tirait jamais d'affaire à l'école »,
dit Martins.

Il était évident qu'il avait passé soigneusement
en revue tout son passé et qu'il en avait tiré des
conclusions.

« Vous n'étiez jamais dans de sérieux pétrins

et il ne craignait pas que vous mangiez le morceau.

— J'ai crié à Harry qu'il ne devait pas se fier à moi, mais il ne m'a pas entendu.

— Etes-vous d'accord? »

Il m'avait rendu les photographies des enfants; elles étaient posées sur mon bureau et je vis qu'il les regardait longuement.

« Oui, dit-il, d'accord. »

CHAPITRE XVI

Au début, tout marcha selon les prévisions. Nous attendîmes, pour arrêter Winkler, qui était revenu de la zone n° 2, que Cooler eût été averti. Cooler l'accueillit sans le moindre embarras et avec de grands airs protecteurs.

« Ah! Mr. Martins, comme cela me fait plaisir de vous revoir! Asseyez-vous. Je suis ravi que tout se soit arrangé pour le mieux entre vous et le colonel Calloway.

— Rien ne s'est arrangé, dit Martins.

— J'espère que vous ne m'en voulez pas de lui avoir appris que vous aviez vu Koch. Voici comment j'ai calculé : si vous étiez innocent, il vous serait facile de vous justifier; si vous étiez coupable, eh bien, ma foi, le fait que vous m'étiez sympathique ne devait pas intervenir : un citoyen a des devoirs.

— Par exemple, apporter de faux témoignages à une enquête.

— Oh! dit Cooler, cette vieille histoire! J'ai peur que vous ne soyez irrité contre moi, Mr. Martins. Considérez la chose de cette manière : en tant que citoyen, vous devez obéissance...

— La police a exhumé le corps. Elle va vous poursuivre, vous et Winkler. Je veux que vous avertissiez Harry...

— Je ne comprends pas...

— Ah! mais si, vous comprenez très bien. »

Il était évident qu'il comprenait admirablement. Martins le quitta brusquement. Il en avait assez de ce visage las et bienveillant de citoyen modèle.

Il ne restait plus qu'à appâter le piège. Après avoir étudié le plan des égouts, je conclus qu'un café près de l'entrée principale du collecteur placée dans ce que Martins avait pris à tort pour un kiosque à journaux serait l'endroit susceptible d'attirer Lime le plus sûrement. Il n'avait qu'à émerger du sol, une fois de plus, franchir un espace de cinquante pas, ramener Martins avec lui et s'enfoncer de nouveau dans l'obscurité de l'égout. Il ne se doutait pas du tout que ce moyen d'évasion nous était connu : il savait probablement qu'une ronde de la police des égouts se terminait vers minuit et que

la suivante ne se mettait en marche qu'à deux
heures. C'est ainsi qu'à minuit, Martins était
assis dans le petit estaminet glacé, en vue du
kiosque, à boire tasse de café sur tasse de café.
Je lui avais prêté un revolver. J'avais posté des
hommes aussi près du kiosque qu'il m'avait été
possible, et la police des égouts était prête,
quand sonnerait l'heure H, à fermer les bouches
d'accès et à fouiller les canaux depuis la péri-
phérie de la ville jusqu'au centre. Mais si c'était
possible, j'avais l'intention d'arrêter Lime avant
qu'il pût redescendre. Cela épargnerait bien des
ennuis à tout le monde et des risques à Martins.
Donc, comme je viens de le dire, Martins était
assis dans le petit café.

Le vent s'était levé, mais sans apporter de
neige. Son souffle glacé montait du Danube et
dans le petit square envahi par l'herbe, devant
le café, il fouettait la neige comme l'écume à la
cime d'une vague. Il n'y avait pas de chauffage
dans l'estaminet et Martins se réchauffait les
mains l'une après l'autre sur sa tasse de succé-
dané. Il en avait bu d'innombrables tasses. Mes
agents, un à un, attendaient avec lui dans le
café, mais je les changeais de vingt minutes en
vingt minutes, irrégulièrement. Une grande
heure s'écoula; Martins avait abandonné tout

espoir depuis longtemps, et moi aussi, qui atten-
dais à quelques rues de distance à côté d'un
téléphone, entouré d'un groupe de police des
égouts, prêt à descendre si cela devenait nécessaire. Nous avions plus de chance que Martins,
car nous avions chaud avec nos grandes bottes
qui montaient jusqu'aux cuisses, et nos grosses
vareuses. Un homme portait sur la poitrine un
petit projecteur une fois et demi de la taille
d'une phare d'auto et un autre une paire de
chandelles romaines. Le téléphone sonna. C'était
Martins.

« Je meurs de froid, dit-il. Il est une heure
et quart. Est-il vraiment utile de continuer
à attendre?

— Vous ne devriez pas téléphoner. Restez en
vue.

— J'ai déjà bu sept tasses de cet immonde
café. Mon estomac se refuse à en absorber davantage.

— Il ne peut plus tarder s'il vient. Il ne vou-
dra pas se cogner à la patrouille de deux heures.
Tâchez de tenir encore un quart d'heure. Mais
ne vous approchez pas du téléphone. »

La voix de Martins s'écria brusquement :
« Bon Dieu, le voici » et tout s'éteignit sur la
ligne. Je dis à mon assistant : « Donnez le signal

de garder toutes les bouches d'égout », et à la police des égouts : « Nous descendons. »

Voici ce qui s'était produit. Martins était encore en train de me téléphoner lorsque Harry Lime entra dans le café. Je ne sais ce que Lime entendit et même s'il entendit quelque chose. Le simple fait qu'un homme recherché par la police, sans amis dans Vienne, parlât au téléphone suffisait à le mettre en garde. Il était ressorti du café avant que Martins eût reposé l'écouteur. Cela tomba pendant un des rares moments où aucun de mes agents ne se trouvait dans le café. L'un d'eux venait de partir et l'autre était sur le trottoir et s'apprêtait à entrer. Harry Lime le frôla en fuyant vers le kiosque. Martins sortit du café et vit mon homme. S'il avait crié tout de suite, il eût été facile de le rattraper, mais je suppose que pendant quelques secondes ce ne fut pas Lime le trafiquant de pénicilline qui prenait la fuite, mais Harry. Martins hésita juste assez longtemps pour que Lime mît le kiosque entre lui et les autres. Alors il cria : « C'est lui! » mais Lime était déjà descendu sous terre.

Quel monde étrange, inconnu de la plupart, gît sous nos pieds! Nous vivons au-dessus d'un pays caverneux de cascades et de torrents rapides, où la

marée monte et descend comme sur terre. Si
vous avez jamais lu les aventures d'Alain Quar-
termaine et le récit de son voyage par le fleuve
souterrain jusqu'à la cité de Milosis, vous pourrez imaginer le site de la dernière résistance de
Lime. Le grand collecteur, large comme la moitié de la Tamise, se précipite sous une énorme
voûte, alimenté par des cours d'eau tributaires;
ces cours d'eau sont tombés en cascades de plates-
formes surélevées, et se sont purifiés en tombant, de sorte que l'air n'est fétide que dans
les canaux supérieurs. L'odeur du fleuve principal est rafraîchie et vivifiée par un léger souffle
d'ozone, et partout, dans le noir, l'on entend
l'eau tomber et ruisseler. Martins et les policiers arrivèrent sur ses bords juste après la marée
haute, en descendant d'abord l'escalier de fer
en colimaçon, puis en suivant un corridor si
bas qu'ils durent se plier en deux; enfin les dernières vagues basses vinrent battre à leurs pieds.
Mon agent promena sa torche électrique le long
du fleuve et dit : « Il est parti par là. » Car
l'égout (comme un profond cours d'eau laisse,
en venant mourir sur le rivage, une accumu-
lation de débris) apportait, dans l'eau morte qui
léchait le mur, un dépôt de pelures d'oranges,
de vieilles cartouches de cigarettes et autres dé-

tritus. Lime y avait laissé sa trace aussi clairement que s'il avait marché dans la boue. Mon
agent éclairait devant lui de sa main gauche et
tenait un revolver de sa main droite.

« Marchez derrière moi, monsieur, dit-il à
Martins, la crapule pourrait tirer.

— Alors, pourquoi diable seriez-vous devant
moi?

— C'est mon métier, monsieur. »

Ils marchaient dans l'eau jusqu'aux genoux.
Le policier dirigeait la lumière de sa lampe en
avant et vers le bas, pour éclairer les détritus
foulés aux pieds au bord de l'égout.

« Ce qui est idiot, dit-il, c'est que cette crapule n'a aucune chance de s'en tirer. Les issues
sont toutes gardées et nous avons un cordon de
police le long de la zone russe. Maintenant, nos
gars n'ont plus qu'à balayer, en partant des
bouches d'accès vers l'intérieur, par les canaux
latéraux. »

Il sortit un sifflet de sa poche et lança un
signal : de très loin, de côtés et d'autres, lui
vint la réponse.

« Ils sont tous en bas. Je veux dire la police
des égouts. Ils connaissent cet endroit aussi bien
que je connais la route de Tottenham Court. Si
ma brave mère me voyait en ce moment!... »

Il souleva sa lampe l'espace d'une minute pour éclairer plus loin, et c'est alors que la détonation claqua. La lampe vola de sa main et tomba dans le torrent.

« Salaud, dit-il.

— Etes-vous blessé?

— La main égratignée, c'est tout. N'y paraîtra plus dans huit jours. Tenez, monsieur, prenez cette autre lampe, pendant que j'entortille ma main. Ne l'allumez pas, il est dans un des couloirs. »

Le bruit de la détonation fut longuement répercuté, et lorsque son dernier écho mourut, un coup de sifflet retentit devant eux et le compagnon de Martins lança sa réponse.

« Comme c'est bizarre, dit Martins, je ne sais même pas votre nom.

— Bates, monsieur. (Il rit dans le noir, d'un rire de gorge.) Je ne suis pas sur ma ronde habituelle. Est-ce que vous connaissez le Fer à Cheval, monsieur.

— Oui.

— Et le duc de Grafton?

— Oui.

— Ah! bien! Il faut de tout pour faire un monde.

— Laissez-moi passer devant, dit Martins, je

ne crois pas qu'il tirera sur moi et il faut que
je lui parle.

— J'ai reçu l'ordre de veiller sur vous, monsieur. Soyez prudent.

— Ne craignez rien! » Il se glissa à côté de
Bates et le contourna, en enfonçant dans l'eau
de quelques centimètres de plus. Lorsqu'il fut
en avant, il appela « Harry! » et la voûte répondit : « Harry, Harry, Harry! » en échos qui
ricochèrent le long du fleuve et éveillèrent tout
un chœur de coups de sifflet dans les ténèbres.
Il appela une seconde fois : « Harry! » et ajouta :
« Sortez. Ça ne sert à rien. »

Une voix extraordinairement proche les fit
s'aplatir contre le mur :

« Est-ce vous, mon vieux? Que voulez-vous
que je fasse?

— Sortez de votre cachette et mettez les
mains au-dessus de votre tête.

— Je n'ai pas de lampe, mon vieux. Je ne
vois rien du tout.

— Faites attention, monsieur, dit Bates.

— Collez-vous au mur. Il ne tirera pas sur
moi », dit Martins. Puis il cria : « Harry, je
vais allumer ma lampe, jouez franc jeu et venez
à découvert. Vous ne pouvez pas vous en tirer. »

Il alluma la lampe et à vingt pas de là, à la

limite de l'eau et de la lumière, Harry apparut
à sa vue.

« Haut les mains, Harry. »

Harry leva la main et fit feu. La balle ricocha
sur le mur à quelques centimètres de la tête
de Martins et Bates poussa un cri. Au même
moment, à cinquante mètres de là, un projecteur éclaira tout le canal, frappant de ses rayons
Harry, Martins, les yeux fixes de Bates écroulé
dans l'eau basse, avec des détritus jusqu'à la
taille. Une cartouche de cigarettes vide s'intro-
duisit sous son aisselle où elle resta. Mon groupe
était arrivé sur la scène.

Bouleversé et tremblant, Martins était penché
sur le cadavre de Bates, et Harry Lime se dressait à mi-chemin entre lui et nous. Nous ne
pouvions tirer, de crainte d'atteindre Martins,
et la lumière du projecteur éblouissait Lime.
Nous avancions lentement, nos revolvers braqués, guettant une possibilité de tirer. Lime
tournait de côté et d'autre comme un lapin dans
les phares d'une auto. Puis brusquement il plon-
gea au milieu de l'eau profonde du canal.
Quand nous dirigeâmes sur lui le faisceau de
lumière, il était submergé et le fort courant
de l'égout l'emportait rapidement, au-delà du
corps de Bates, hors de l'atteinte du projecteur,

dans le noir. Qu'est-ce qui pousse un homme,
sans espoir, à s'accrocher à quelques minutes
d'existence? Cela lui vient-il d'un bon ou d'un
mauvais instinct? Je n'en ai aucune idée.

Martins était juste en dehors du faisceau de
mon projecteur et ses yeux regardaient fixement
l'eau couler : il avait maintenant son revolver
à la main et il était le seul qui pût tirer sans
danger. Je crus voir un mouvement et lui criai :
« Là, là, tirez! » Il leva la main et tira, comme
il avait tiré, au même commandement, des
années et des années auparavant, sur le pré communal de Brickworth. Et comme autrefois il
rata son coup. Un cri de douleur semblable à
une étoffe qu'on déchire, fendit la voûte : cri
de reproche et de supplication. « Très bien »,
lançai-je, et je m'arrêtai près du corps de Bates.
Il était mort. Ses yeux ouverts ne clignèrent pas
quand le projecteur fut dirigé sur lui; quelqu'un se pencha pour déloger la boîte de carton
et la jeter dans le fleuve qui l'emporta dans son
tourbillon... une étiquette jaune : Gold Flake...
Bates était loin désormais de Tottenham Court
Road.

Quand je levai les yeux, Martins avait disparu dans l'obscurité; je l'appelai, mais son nom
se perdit dans une confusion d'échos, dans le

fracas et les rugissements de l'eau souterraine.
Puis j'entendis un troisième coup de feu.

« J'ai remonté le courant pour retrouver
Harry, me raconta Martins plus tard, mais j'ai
dû le laisser échapper dans le noir. Je n'osais pas
soulever ma lampe. Je ne voulais pas qu'il soit
tenté de tirer une fois encore. Ma balle avait dû le
frapper juste à l'entrée d'un ruisseau latéral. Alors
je suppose qu'il a rampé le long du couloir jusqu'au pied de l'escalier de fer. A trente pieds
au-dessus de sa tête, il y avait une bouche
d'accès, mais il n'aurait pas eu la force de la
soulever, et même s'il y était arrivé la police
l'attendait dehors. Il devait savoir tout cela, mais
il souffrait beaucoup et tandis qu'un animal se
tapit dans le noir pour mourir, un homme
cherche la lumière. Il veut mourir chez lui, dans
son élément, et les ténèbres ne sont pas notre
élément. Il commença à se hisser le long des
marches, mais la douleur le terrassa et il ne
put continuer. Pourquoi se mit-il alors à sif-
floter cet absurde petit air dont j'avais été assez
bête pour croire qu'il l'avait composé? Essayait-il
d'attirer l'attention, appelait-il un ami auprès
de lui, même l'ami qui l'avait attiré dans ce tra-
quenard, ou bien avait-il le délire et ne savait-il
plus ce qu'il faisait? Quoi qu'il en soit, je l'en-

tendis siffler et je revins sur le bord du fleuve;
à tâtons, je trouvai le couloir où il était. J'appelai : « Harry », et la voix qui fredonnait se tut,
juste au-dessus de ma tête. Je posai ma main
sur la rampe de fer et montai; j'avais encore
peur qu'il ne tirât. A la troisième marche, mon
pied se posa sur sa main. Il était là. Je l'éclairai
avec ma lampe; il n'avait pas d'arme. Sans doute,
avait-il lâché son revolver au moment où ma
balle l'avait frappé. Je crus un moment qu'il
était mort, mais je l'entendis gémir de douleur.
« Harry », lui dis-je. Il fit un grand effort pour
tourner les yeux vers moi. Il essaya de parler et
je me penchai pour l'entendre. « Bougre d'im-
« bécile », dit-il... c'est tout. Je ne sais s'il voulait parler de lui-même, faire une sorte d'acte
de contrition absurde et impropre (il était catholique), ou s'il s'adressait à moi, avec mes mille
livres par an, imposables, et mes voleurs de
troupeaux imaginaires, qui n'étaient même pas
capables de tuer un lapin. Puis il se remit à
gémir. Je ne pouvais plus supporter de l'entendre, je l'achevai d'une balle.

— Oublions ce détail, dis-je.

— Je ne l'oublierai jamais », dit Martins.

CHAPITRE XVII

CE soir-là, le dégel commença, et dans toute la ville de Vienne la neige se mit à fondre, et les horribles ruines reparurent. Des tiges d'acier pendaient comme des stalactites et des poutrelles rouillées perçaient la boue grise comme des ossements. Les enterrements étaient beaucoup plus faciles qu'une semaine avant. On n'avait plus besoin de foreuses électriques pour percer le sol glacé. Quand on fit à Harry Lime ses secondes funérailles, il faisait presque aussi chaud qu'un jour de printemps. J'étais content de le voir enfin mettre en terre, mais cela avait coûté la vie à deux hommes. Près de sa fosse, le groupe s'était réduit : Kurtz n'y était plus, Winkler non plus. Il n'y avait que la jeune fille, Rollo Martins et moi. Et personne ne pleurait.

Quand ce fut terminé, la jeune fille s'éloigna sans nous dire un mot, ni à l'un, ni à l'autre.

Elle descendit, en pataugeant dans la neige fondue, la longue avenue bordée d'arbres qui mène à l'entrée principale et à l'arrêt du tram.

« J'ai une voiture, dis-je à Martins. Voulez-vous que je vous emmène?

— Non, dit-il, je prends le tram.

— Vous avez gagné. J'allais me conduire comme un parfait idiot.

— Je n'ai pas gagné, dit-il, j'ai perdu. »

Je le vis partir sur ses jambes trop longues, derrière la jeune fille. Il la rattrapa et ils continuèrent à marcher côte à côte. Je ne crois pas qu'il lui adressa la parole. Il se servait très mal des armes à feu et manquait complètement de psychologie, mais il savait s'y prendre pour écrire des histoires de cow-boys (tenir le lecteur en haleine) et pour parler aux filles (je ne sais ce qu'il y faut). Que devient Crabbin? Oh! Crabbin est encore en grande discussion avec les Relations culturelles britanniques au sujet des frais de séjour de Dexter. Elles lui disent qu'il est impossible de payer à la fois Stockholm et Vienne. Pauvre Crabbin!... Pauvres nous tous, si l'on y réfléchit bien.

PREMIÈRE DÉSILLUSION

Chapitre Premier

Quand la grande porte se fut refermée sur eux et que Baines, le maître d'hôtel, revint dans le sombre et lourd vestibule d'entrée, Philippe se sentit vraiment vivre. Il resta debout devant la porte de la chambre d'enfants, l'oreille tendue, sans bouger, jusqu'à ce que le bruit du taxi se fût perdu graduellement au bout de la rue. Ses parents partaient en vacances pour quinze jours, il était « entre » deux bonnes d'enfant, l'une renvoyée, la nouvelle pas encore arrivée; il restait seul dans la grande maison de Belgravia Square avec Baines et Mrs. Baines.

Il pouvait se promener partout; il pouvait même franchir la porte tendue de reps vert qui conduisait à l'office, et descendre l'escalier du sous-sol. Il avait la sensation d'être en visite dans sa propre maison parce qu'il était autorisé

à entrer dans toutes les pièces et que toutes
étaient vides.

On ne pouvait que deviner par qui elles
étaient habituellement occupées : dans le fu-
moir, le râtelier plein de pipes, et le pot à tabac
en bois sculpté, à côté des défenses d'éléphant;
dans la chambre à coucher, les tentures roses,
le parfum léger et les godets de crème aux trois
quarts vides que Mrs. Baines n'avait pas encore
fait disparaître; au salon, la surface bien vernie
du piano que personne n'ouvrait jamais, la pendule de porcelaine, les petites tables absurdes
et l'argenterie; mais là, Mrs. Baines avait déjà
commencé de s'affairer : elle fermait les rideaux,
couvrait les fauteuils de housses.

« Allez-vous-en de là, monsieur Philippe. »

Et elle le fixait de ses yeux maussades et détes-
tables en circulant dans la pièce pour mettre
tout en ordre, méticuleuse, sans tendresse, en
femme qui fait son devoir.

Philippe Lane descendit et poussa la porte de
reps vert; il jeta un coup d'œil dans l'office,
mais Baines n'y était pas; alors, pour la première
fois, il posa le pied sur les marches qui me-
naient au sous-sol. De nouveau, il eut ce sentiment : ceci est la vie. La nouveauté de cette
étrange aventure faisait vibrer ses sept ans, vécus

dans la chambre d'enfant. Son cerveau actif,
débordant, ressemblait à une ville qu'ébranle le
choc d'un lointain tremblement de terre. Il se
sentait plein d'appréhension, mais plus heureux
qu'il ne l'avait jamais été. Tout venait de
prendre une importance nouvelle.

Baines, en manches de chemise, lisait un
journal.

« Entrez, Phil, dit-il, et installez-vous comme
chez vous. Attendez un moment, je vais vous
faire les honneurs de la maison. » Il alla prendre
une bouteille de limonade au gingembre et la
moitié d'une brioche. « Onze heures et demie
du matin, poursuivit Baines, heure d'ouverture
des débits de boissons, mon garçon », et il coupait le gâteau, versait la limonade.

Jamais Philippe ne l'avait vu plus cordial,
plus à son aise, mieux « chez lui » dans la
maison

« Faut-il que j'appelle Mrs. Baines? » demanda Philippe qui fut bien content que Baines
répondît non. Elle était occupée. Elle aimait
à être occupée : pourquoi la priver de ce plaisir?

« Un petit coup à onze heures et demie, dit
Baines en se versant un verre de bière, n'a
jamais fait de mal à personne et donne de l'appétit pour le rata.

— Le rata? demanda Philippe.

— Les vieux coloniaux, expliqua Baines, appellent tout ce qui est nourriture « rata ».

— Mais ce n'est pas une viande?

— Quelquefois; bien cuite dans de l'huile de palme. Après, on continue par quelques papayes... »

Par la fenêtre du sous-sol, Philippe regardait la cour de pierre dure, la boîte à ordures et plus loin, derrière la grille, les jambes des passants qui allaient et venaient.

« Faisait-il très chaud là-bas?

— Ah! vous ne pouvez pas en avoir la moindre idée. Et, notez, ce n'est pas de la bonne chaleur, la tiédeur que vous trouvez au Parc, un jour comme aujourd'hui. Humide », et Baines ajouta : « Pourrie. » Il se coupa une tranche de brioche. « Ça sent le moisi », dit-il, tandis que son regard parcourait la pièce, errant d'un placard immaculé à un autre placard immaculé : impression d'extrême nudité, sans un seul endroit où un homme puisse cacher ses secrets. Avec l'air de regretter une chose perdue, Baines but une longue rasade de bière.

« Pourquoi papa vivait-il là-bas?

— C'était son travail, dit Baines, comme c'est maintenant le mien de faire ce que je fais. Mais, à cette époque-là, c'était aussi le mien. Un vrai métier-d'homme. Vous aurez du mal à le croire, mais j'avais quarante nègres sous mes ordres et ils faisaient tout ce que je leur disais de faire.

— Pourquoi en êtes-vous parti?

— J'ai épousé Mrs. Baines. »

Philippe prit sa tranche de brioche à la main et se mit à arpenter la pièce en la mangeant. Il se rendait bien compte que Baines lui parlait d'homme à homme : jamais il ne l'appelait *monsieur* Philippe comme le faisait Mrs. Baines, qui se montrait toujours servile lorsqu'elle n'était pas impérieuse.

Baines connaissait le monde; il était allé plus loin que la grille, plus loin que les jambes des dactylos passant, en procession lasse, de Pimlico à Victoria et de Victoria à Pimlico. Baines était assis là, devant sa limonade gazeuse, avec la dignité résignée d'un exilé. Baines ne se plaignait pas : il avait choisi sa destinée, et si Mrs. Baines était sa destinée, il ne pouvait s'en prendre qu'à lui-même.

Mais aujourd'hui, parce que la maison était presque vide, que Mrs. Baines était en haut et qu'il n'avait rien à faire, il s'offrait le luxe de quelque rancœur.

« J'y retournerais demain si j'en avais l'occasion.

— Avez-vous jamais tué un nègre?

— Je n'ai jamais eu à tirer sur quelqu'un,
répondit Baines. Je portais un fusil, bien sûr.
Mais on n'avait pas besoin de les traiter dure-
ment. Ça n'aurait fait que les abrutir. Voulez-
vous que je vous dise, ajouta Baines, pris de
confusion, en inclinant ses maigres mèches grises
vers la limonade, il y avait de ces sacrés nègres
que j'aimais bien. Je ne pouvais pas m'empêcher
de les aimer. Je les voyais qui riaient en se
tenant la main; ils aimaient à se toucher; ça
les ravigotait de sentir que leur copain était là,
tout à côté. Nous ne pouvions pas du tout comprendre ce que ça signifiait. Quelquefois, il y
en avait deux qui se baladaient toute la journée
comme ça, sans se lâcher; des hommes, pas des
enfants. Il n'était pas question d'amour; c'était
une chose que nous ne pouvons pas comprendre...

— On mange entre les repas, interrompit
Mrs. Baines, que dirait votre maman, monsieur
Philippe? »

Elle descendait l'escalier les mains pleines de
pots de crèmes, d'onguents, de tubes de graisse
et de pâtes.

« Baines, tu ne devrais pas l'encourager »,

dit-elle, en s'asseyant dans un fauteuil d'osier, ses petits yeux malveillants fixés sur le rouge à lèvres de Coty, le cold-cream de Pond, le rouge de Leichner, la poudre de Cyclax et l'astringent d'Elisabeth Arden.

Un à un, elle les jeta dans la corbeille à papiers et ne mit de côté que le cold-cream.

« Des histoires à dormir debout! Raconter ça à un enfant, dit-elle. Allez dans votre chambre, monsieur Philippe, pendant que je prépare le déjeuner. »

Philippe escalada les marches jusqu'à la porte de reps vert. Il entendait la voix de Mrs. Baines, comme dans les cauchemars qui l'assaillaient lorsque la petite veilleuse s'effondrait dans la soucoupe et que les rideaux s'agitaient; une voix aiguë, stridente et pleine de méchanceté, parlant plus fort qu'on ne doit parler, toute crue.

« J'en ai plus qu'assez de tes façons, Baines, tu donnes de mauvaises habitudes au gamin. Il est grand temps que tu te rendes utile dans cette maison... »

Mais Philippe ne put entendre ce que répondait Baines. Il poussa la porte couverte de reps vert, et surgit comme un petit animal quittant son terrier, au milieu de la nappe de soleil qui luisait sur le parquet, et des reflets de tous les

miroirs que Mrs. Baines avait essuyés, polis,
rendus beaux.

Un objet fut brisé au sous-sol, et Philippe
gravit tristement l'escalier de la nursery. Il plaignait Baines : il se prit à penser qu'ils pourraient vivre heureux ensemble dans la maison
vide, si quelque chose forçait Mrs. Baines à
partir. Il n'avait pas envie de jouer avec son
Meccano; il n'avait pas envie de sortir son train
ou ses soldats; il s'assit devant la table, le menton dans les mains : la vie, c'est ça; et brusquement il sentit qu'il était responsable de Baines,
comme si lui, Philippe, était le maître de la
maison et Baines un serviteur vieillissant qui
méritait qu'on prît soin de lui. Il ne pouvait pas
faire grand-chose; il décida que, du moins, il
allait être bien sage.

Il ne fut pas surpris quand, au déjeuner,
Mrs. Baines se montra très aimable; il avait l'habitude de ses sautes d'humeur. Maintenant,
c'était « un peu plus de viande, monsieur Philippe », ou « monsieur Philippe, encore une
cuillerée de ce bon entremets ». C'était un entremets qu'il aimait : pudding à la reine, couvert
de meringue, mais il refusa d'en reprendre, de
peur que Mrs. Baines n'eût l'impression qu'elle
triomphait. Elle était de ce genre de femmes qui

s'imaginent pouvoir réparer n'importe quelle injustice en vous faisant manger quelque chose de bon.

Elle était amère, mais elle aimait fabriquer des douceurs; on ne pouvait jamais se plaindre du manque de confitures ou de fruits au sirop. Elle-même mangeait bien et ajoutait du sucre en poudre à la meringue et à la gelée de fraises. La lumière tamisée qui entrait par la fenêtre du sous-sol faisait danser les particules de poussière au-dessus de ses cheveux pâles, tandis qu'elle saupoudrait de sucre le gâteau et que Baines se taisait devant son assiette, le corps tassé sur sa chaise.

Philippe eut de nouveau conscience de sa responsabilité. Baines s'était fait une fête de ceci, et Baines était déçu : tout se gâtait. Le sentiment de la déception était quelque chose que Philippe pouvait partager. Ignorant tout de l'amour, de la jalousie, de la passion, il comprenait mieux que toute autre émotion cette peine d'avoir attendu une chose qui n'est pas arrivée, une promesse qui n'a pas été tenue, un événement amusant qui s'est révélé ennuyeux.

« Baines, dit-il, voulez-vous m'emmener promener tantôt?

— Non, répondit Mrs. Baines, non. Il ne sortira pas. Avec toute l'argenterie qui est à faire!

— J'ai quinze jours pour faire l'argenterie, dit Baines.

— Le travail avant le plaisir. »

Mrs. Baines reprit du gâteau à la meringue. Baines posa brusquement sa cuiller et son couteau, et il repoussa son assiette.

« Tonnerre! dit-il.

— Pas de mauvaise humeur, dit très doucement Mrs. Baines, pas de mauvaise humeur. Tâche de ne plus rien casser, Baines. Sans compter que je te défends de jurer devant l'enfant. Monsieur Philippe, si vous avez fini, vous pouvez quitter la table. »

Elle gratta ce qui restait de meringue sur le gâteau.

« Je voudrais aller me promener, dit Philippe.

— Vous allez monter vous reposer.

— Je veux aller me promener.

— Monsieur Philippe! »

Mrs. Baines quitta la table sans achever sa meringue et s'avança vers lui, menaçante, maigre et couleur de poussière, dans la pièce du sous-sol.

« Monsieur Philippe, vous ferez ce qu'on vous dit de faire. »

Elle le prit par le bras et serra un peu; elle le surveillait d'un regard brillant, passionné et sans joie. Au-dessus d'elle il voyait les pieds traînants des dactylos qui regagnaient leurs bureaux de Victoria après l'heure du déjeuner.

« Pourquoi n'irais-je pas me promener? »

Mais il se sentait faiblir; il avait peur et il avait honte d'avoir peur. La vie, c'était ceci : une étrange passion qu'il ne pouvait comprendre, s'agitant dans la cuisine en sous-sol. Il vit, près de la corbeille à papiers, un petit tas de débris de verre qu'on y avait balayés. Son regard appela au secours celui de Baines, mais ne parvint qu'à intercepter au passage un regard de haine : la haine triste, désespérée, d'un animal en cage.

« Pourquoi je n'irais pas? répéta-t-il.

— Monsieur Philippe, dit Mrs. Baines, il faut faire ce qu'on vous ordonne. Il ne faut pas croire que parce que votre papa n'est pas là, il n'y aurait personne ici pour...

— Vous n'oseriez pas! » s'écria Philippe, qui tressaillit en entendant Baines lancer à voix basse :

« Elle est capable de tout oser.

— Je vous déteste », dit Philippe à Mrs. Baines. Il s'arracha à son étreinte et courut jusqu'à la porte, mais elle y arriva avant lui; elle était vieille mais leste.

« Monsieur Philippe, cria-t-elle, vous allez demander pardon. » Elle était debout, le dos à la porte, tremblante de colère. « Que dirait votre père s'il vous entendait parler de cette manière? »

Elle tendit, pour s'emparer de lui, une main que les cristaux de soude avaient rendue sèche et blanche et dont les ongles étaient usés jusqu'à la chair; mais il recula et mit la table entre elle et lui; brusquement, à la grande surprise de Philippe, elle sourit; elle redevint aussi servile qu'elle avait été arrogante :

« Allons, maintenant ça suffit, monsieur Philippe, dit-elle sur un ton d'allégresse, je vois que vous allez me donner fort à faire d'ici à ce que votre papa et votre maman reviennent. »

Elle laissa le chemin libre, et, lorsqu'il passa devant elle, lui décocha une petite tape facétieuse :

« J'ai trop de travail aujourd'hui pour m'occuper de vous. Je n'ai pas encore mis la moitié des housses. »

Alors, la partie supérieure de la maison elle-même lui parut soudain inhabitable, à la seule pensée que Mrs. Baines allait s'y promener, pour envelopper les divans de leurs linceuls, étendre partout des étoffes contre la poussière.

De sorte qu'il ne se donna même pas la peine de monter chercher sa casquette : il traversa le vestibule étincelant et gagna directement la rue : ici aussi, lorsqu'il tournait la tête pour tout observer à droite et à gauche, c'était au milieu de la vie qu'il se trouvait.

CHAPITRE II

CE furent, à la devanture, les gâteaux couverts
de sucre rose posés sur un napperon de papier,
le jambon, les tranches de saucisson mauve, les
guêpes traversant la vitre comme de minuscules
torpilles, qui attirèrent l'attention de Philippe.
Ses pieds étaient fatigués de marcher sur des
trottoirs; il avait eu peur de traverser la rue et
s'était contenté de marcher d'abord dans un
sens, puis dans l'autre. A la fin, il était revenu
tout près de la maison; le square se dessinait
au bout de la rue; cette boutique était un des
premiers avant-postes de Pimlico. Pour contem-
pler les sucreries, Philippe aplatissait son nez
contre la vitre qu'il ternissait, quand il aperçut
brusquement, entre les gâteaux et les charcute-
ries, un Baines inattendu. C'est à peine s'il
reconnut ses yeux globuleux ou son front chauve.
C'était un Baines heureux, hardi, avec un petit

air de flibustier, et pourtant c'était, si on y regardait de plus près, un Baines désespéré.

Philippe n'avait jamais vu la jeune fille. Il
se rappela que Baines avait une nièce et il pensa
que c'était sans doute elle. Elle avait un visage
mince aux traits tirés et portait un imperméable
blanc; elle ne représentait rien pour Philippe,
elle appartenait à un monde qu'il ne connaissait
pas du tout. Il n'aurait pas pu inventer d'histoires à son sujet comme il en imaginait sur
cet homme ratatiné : Sir Hubert Reed, le Secrétaire perpétuel, ou sur Mrs. Wince-Dudley
qui venait tous les ans de Penstanley (Suffolk),
chargée d'un parapluie vert et d'un énorme sac
à main noir, comme il pouvait en raconter sur
tous les domestiques d'un rang élevé des maisons
où il allait goûter et jouer à des jeux. Elle était
en dehors de tout cela : Philippe pensa aux
sirènes, à Ondine, mais elle n'appartenait pas
non plus à ce monde-là, non plus qu'aux aventures d'Emile. Elle demeurait assise, immobile,
à regarder le gâteau couvert d'un glaçage rose,
avec la mystérieuse indifférence des êtres parfaitement déshérités, à regarder aussi les boîtes
de poudre de riz à demi vides que Baines avait
installées sur la table de marbre entre eux.

Baines suppliait, expliquait, insistait, ordon-

nait, et la jeune fille se mettait à pleurer en
regardant la théière et les petits pots de porcelaine. Baines lui faisait passer son mouchoir par-
dessus la table, mais elle refusait de s'essuyer
les yeux; elle roulait le mouchoir en boule dans
le creux de sa main et laissait ses larmes couler,
ne voulait rien faire, ne voulait pas parler, se
contentant d'opposer une résistance silencieuse
et désespérée à tout ce qu'obstinément elle craignait, souhaitait et refusait d'entendre. Leurs
deux cerveaux luttaient au-dessus des tasses de
thé, dans leur amour réciproque, et par-delà
le jambon, les guêpes et la vitre poussiéreuse du
petit magasin de Pimlico, le sens confus de cette
lutte se propageait jusqu'à Philippe.

Il était plein de curiosité, il ne comprenait
pas et il voulait comprendre. Il se dressa dans
l'ouverture de la porte pour mieux voir; il était
moins à l'abri qu'il ne l'avait jamais été; pour
la première fois, la vie d'autres êtres devenait
perceptible, touchait, pressait, moulait sa propre
vie. Jamais il n'échapperait à cette scène. Une
semaine après il l'avait oubliée, mais elle exerça
une influence sur sa carrière future, sur la
longue austérité de sa vie. Il murmura en mourant : « Qui est-elle? »

Baines avait gagné; il faisait l'important et

la jeune fille était heureuse. Elle s'essuya le visage, ouvrit une boîte de poudre et leurs doigts se touchèrent par-dessus la table. Philippe eut l'idée qu'il serait amusant d'imiter la voix de Mrs. Baines et d'appeler « Baines », de la porte.

Ce cri les pétrifia; impossible de trouver un autre mot; ils devinrent littéralement de pierre; ils n'étaient plus du tout heureux et leur audace avait fui. Baines fut le premier à retrouver son calme et à reconnaître la voix, mais cela ne suffit pas à remettre les choses en place. L'après-midi s'était vidé comme une poupée de son; on ne pouvait rien pour y remédier et Philippe fut pris de peur. « Je ne l'ai pas fait exprès... » Il voulait dire qu'il aimait bien Baines, qu'il avait seulement eu l'intention de se moquer de Mrs. Baines. Mais il avait compris du même coup qu'on ne pouvait pas se moquer de Mrs. Baines. Elle n'était pas Sir Hubert Reed, qui écrivait avec des plumes d'acier et avait toujours en poche un essuie-plumes; elle était l'obscurité au moment où un courant d'air soufflait la veilleuse; elle était l'amas de mottes de terre gelée que Philippe avait vues, un jour d'hiver, dans un cimetière, tandis que quelqu'un disait : « Il leur faudra une perceuse électrique. » Elle était le bouquet de

fleurs fanées et pourries dans la petite pièce
noire de Penstanley. Il n'y avait pas moyen
d'en rire. Il fallait la supporter tant qu'elle
était là et se dépêcher de l'oublier quand elle
n'y était plus, supprimer son souvenir ou l'ense-
velir très profondément.

« Ce n'est que Phil », dit Baines, en lui faisant signe d'entrer. Il lui donna le gâteau glacé
de rose que la jeune fille n'avait pas mangé,
mais l'après-midi était brisé et le gâteau lui restait dans la gorge comme du pain sec. La jeune
fille les quitta tout de suite; elle oublia même
d'emporter la poudre; semblable à un petit
glaçon tout en angles dans son imperméable
blanc, elle resta quelques secondes dans l'ouverture de la porte, en leur tournant le dos, avant
de se dissoudre dans la lumière de l'après-midi.

« Qui est-ce? demanda Philippe, est-ce votre
nièce?

— Ah! oui, oui, répondit Baines justement,
c'est ma nièce. »

Il versa les dernières gouttes d'eau sur les
grossières feuilles noires de la théière.

« Autant boire une tasse de plus, dit Baines.
« La tasse qui réconforte [1]!... » ajouta Baines.

---

1. Citation très connue de Cowper qui définit le thé : « La
tasse qui réconforte mais n'enivre pas. »

d'un air inconsolable, en regardant couler le liquide noir et amer.

« Prenez un verre de limonade, Phil.

— Je vous demande pardon, Baines, je vous demande pardon.

— Ce n'est pas votre faute, Phil. Mais voilà, j'ai bien cru que c'était elle, je n'ai pas pensé à vous. Elle se faufile partout. »

Il repêcha les feuilles de thé qui flottaient dans sa tasse et les posa sur le dos de sa main : une mince et souple lamelle et une tige dure. Il les frappa de son autre main : « Aujourd'hui » et la tige se détacha, « demain, mercredi, jeudi, vendredi, samedi, dimanche », mais la lamelle refusait de quitter sa main, restait où elle était, se desséchait sous ses coups, lui opposait une résistance dont on ne l'aurait jamais crue capable.

« C'est le plus coriace qui gagne », dit Baines...

Il se leva, paya l'addition, et ils regagnèrent la rue.

« Je ne vous demande pas de dire ce qui n'est pas vrai, dit Baines, mais il vaut mieux que vous ne racontiez pas à Mrs. Baines que vous nous avez vus ensemble.

— Bien sûr que non, répondit Philippe, en

essayant d'imiter le ton de Sir Hubert Reed, je comprends très bien, Baines. »

Mais il ne comprenait rien du tout; il était entraîné dans le monde obscur des autres êtres.

« C'est idiot, dit Baines, si près de la maison, mais je n'ai pas eu le temps de réfléchir, vous savez. Il fallait que je la voie.

— Bien sûr, Baines.

— Je n'ai pas de temps à perdre, dit Baines, je ne suis plus jeune. Il faut que je m'assure qu'elle n'est pas malheureuse.

— Naturellement, il le faut, Baines.

— Mrs. Baines vous forcera à tout raconter, si elle peut.

— Vous pouvez avoir confiance en moi, Baines », dit Philippe d'une voix sèche. importante, celle de Sir Hubert. Puis il ajouta : « Attention! Elle est à la fenêtre qui nous guette. »

En vérité, elle était à sa fenêtre du sous-sol, et levait vers eux, entre les rideaux de dentelle, un regard intrigué.

« Est-ce que c'est vraiment forcé qu'on rentre, Baines? » demanda Philippe, un bloc lourd et froid sur l'estomac, comme quand il avait mangé trop de pudding. Il s'accrocha au bras de Baines.

« Attention, dit doucement Baines, attention.

— Mais est-ce que c'est vraiment forcé,

Baines? Il est encore tôt. Si vous m'emmeniez
faire un tour dans le parc.

— Vaut mieux pas.

— Mais... j'ai peur, Baines.

— Vous n'avez pas de raison d'avoir peur, dit
Baines, personne ne vous fera de mal. Courez
tout droit dans votre chambre et moi je descen-
drai par l'escalier de service et je parlerai à
Mrs. Baines. »

Mais même lui eut une minute d'hésitation
en haut des marches de pierre bien qu'il fît
semblant de ne pas la voir entre les rideaux
derrière lesquels elle guettait.

« Passez par la grande porte, Phil, et montez
tout droit. »

Philippe ne s'attarda pas dans le vestibule;
il courut, en glissant sur le plancher ciré par
Mrs. Baines, jusqu'à l'escalier. Au premier, il
vit par la porte ouverte du salon les chaises
couvertes de housses; jusqu'à la pendule de porcelaine sur le manteau de la cheminée qui était
voilée comme une cage de canaris; elle sonna
l'heure au moment où il passait, et son timbre,
étouffé par le chiffon, était mystérieux. Sur la
table de la chambre d'enfant, il trouva son
souper qui l'attendait : un verre de lait, une
tartine de pain beurré, un biscuit sucré, et un

peu du pudding du déjeuner, froid et sans meringue. Il n'avait pas faim; il tendit l'oreille
pour savoir si Mrs. Baines monterait, pour
entendre un bruit de voix, mais le sous-sol gardait ses secrets; la porte de reps vert séparait les
deux mondes. Il but le lait, mangea le biscuit,
ne toucha pas au reste, et bientôt il entendit
résonner sur l'escalier le pas précis et feutré
de Mrs. Baines; c'était une bonne domestique,
elle marchait sans faire de bruit; c'était une
femme volontaire, elle marchait avec précision.

Mais lorsqu'elle entra dans la chambre, elle
n'était pas fâchée du tout; elle ouvrit la porte
de la nursery en souriant d'un air engageant.

« Est-ce que vous avez fait une bonne pro-
menade, monsieur Philippe? »

Elle descendit les stores, sortit son pyjama et
revint vers lui pour enlever le plateau.

« Je suis contente que Baines vous ait trouvé.
Votre maman n'aimerait pas du tout que vous
sortiez seul. » Elle examina le plateau. « Vous
n'avez guère d'appétit, monsieur Philippe. Pourquoi ne prenez-vous pas un peu de ce bon pudding? Je vais aller vous chercher de la confiture
pour manger avec.

— Non, non, merci, Mrs. Baines, dit Philippe.

— Vous ne mangez pas assez », dit Mrs.

Baines. Elle tournait autour de la chambre, en flairant comme un chien. « Dites-moi, monsieur Philippe. auriez-vous pris des pots que j'avais jetés dans la corbeille à papiers de la cuisine?

— Non. dit Philippe.

— Naturellement, c'est ce que je pensais. Je ne demandais que pour en être sûre. »

Elle lui tapota l'épaule et d'un mouvement rapide ses doigts descendirent jusqu'au revers de la veste; elle ramassa une miette minuscule de sucre rose.

« Oh! monsieur Philippe, dit-elle, voilà pourquoi vous n'avez pas d'appétit! Vous avez acheté des gâteaux sucrés. Ce n'est pas à ça que doit servir votre argent de poche.

— Mais non, je n'ai rien acheté, dit Philippe, rien du tout. »

Du bout de la langue elle goûta le sucre.

« Ne me racontez pas de mensonges, monsieur Philippe. Je ne le supporterai pas plus que votre père lui-même.

— Je n'ai rien acheté, je n'ai rien acheté, dit Philippe. C'est eux qui me l'ont donné, je veux dire Baines. »

Mais elle avait bondi sur le mot « eux ». Elle avait obtenu ce qu'elle voulait; cela ne faisait aucun doute, même lorsqu'on ignorait ce qu'elle voulait obtenir. Philippe se sentit furieux, malheureux, déçu, parce qu'il n'avait pas gardé le secret de Baines. Baines n'aurait pas dû se fier à lui; les grandes personnes devraient garder pour elles leurs secrets, et pourtant voici que Mrs. Baines se disposait à lui en confier un autre tout de suite.

« Laissez-moi vous chatouiller le creux de la main pour savoir si vous pouvez garder un secret. »

Mais il mit la main derrière le dos; il ne voulait pas qu'on le touche.

« C'est un secret entre nous, monsieur Philippe : je connais toutes leurs histoires. Je suppose qu'elle prenait le thé avec lui, dit-elle à tout hasard.

— Et pourquoi pas? » répondit-il. Sa responsabilité envers Baines pesait sur son esprit, et l'idée qu'il lui faudrait garder un secret pour elle, tandis qu'il avait trahi celui de Baines, lui faisait mesurer douloureusement toute l'injustice de la vie.

« Elle est gentille.

— Elle est gentille, vraiment, répéta Mrs. Baines d'une voix amère à laquelle il n'était pas habitué.

— Et puis, c'est sa nièce.

— Ah! voilà ce qu'il raconte », riposta douce-

ment Mrs. Baines, comme un écho aussi sourd
que le timbre de la pendule voilée.

Elle essaya de plaisanter :

« Le vieux polisson. Surtout ne lui racontez
pas que je suis au courant, monsieur Philippe. »
Rigide, elle s'était immobilisée, entre la table
et la porte, et réfléchissait activement, établissait un plan. « Promettez-moi que vous ne direz
rien, monsieur Philippe, je vous donnerai cette
boîte de Meccano... »

Il lui tourna le dos; il ne voulait pas pro-
mettre, mais il ne dirait rien. Il ne voulait plus
s'occuper de leurs secrets, il refusait les responsabilités dont ils cherchaient à le charger. Il
désirait seulement oublier. Il avait absorbé une
dose de vie plus forte qu'il ne s'y attendait, et
il avait peur. « La boîte de Meccano 2 A, monsieur Philippe. »

Jamais plus il n'ouvrit ses boîtes de Meccano,
jamais il ne construisit, jamais il ne créa rien.
En vieux dilettante, il mourut soixante ans
plus tard, préférant ne laisser aucune œuvre
plutôt que d'évoquer le souvenir de la voix
méchante de Mrs. Baines, lorsqu'elle lui souhaita
une bonne nuit, ou le bruit de ses pas feutrés
et volontaires qui, par l'escalier du sous-sol, descendaient, descendaient, descendaient.

Chapitre III

Le soleil entrait à flots entre les rideaux et
Baines sonnait l'appel sur le broc à eau. « Hurrah! hurrah! » disait Baines. Il s'assit au pied du
lit et dit : « J'ai l'honneur de vous annoncer
que Mrs. Baines a été forcée de partir. Elle a
reçu un appel : sa mère est mourante. Elle ne
rentrera que demain.

— Pourquoi m'avez-vous éveillé de si bonne
heure? » demanda Philippe.

Il se sentait mal à l'aise en regardant Baines;
il ne voulait plus se laisser entraîner; il avait
appris sa leçon. Ce n'était pas convenable qu'un
homme âgé comme Baines se montrât si gai.
Les grandes personnes gaies deviennent humaines de la même façon que je suis humain.
Car lorsqu'une grande personne se conduit
comme un enfant, nous finissons par nous trou-

ver dans le même monde. C'est bien suffisant
que ces choses vous viennent en rêve : la sor-
cière au coin, l'homme armé d'un couteau.

« Il est très tôt », gémit-il donc. quoiqu'il
aimât beaucoup Baines, quoiqu'il ne pût s'empêcher d'être content de voir Baines si heureux.
Il était partagé entre la terreur et la fascina-
tion de la vie.

« Je veux faire durer cette belle journée,
dit Baines, et cette heure-ci est la meilleure. »
Il ouvrit les rideaux. « Il fait un peu de brume.
Le chat a passé la nuit dehors. Le voilà qui
revient. Il renifle la grille. Ils n'ont pas rentré
leur lait, au 59. Alice secoue les paillassons du
63. C'est à ces choses-là que je pensais quand
j'étais sur la côte africaine : quelqu'un qui
secoue les paillassons et le chat qui rentre à la
maison. Ce matin, je vois tout ça... comme si
j'étais encore à la colonie. La plupart du temps
on ne remarque pas ce qu'on a. C'est une bonne
vie, à condition de ne pas faiblir. »

Il posa deux sous sur la table de toilette.

« Quand vous serez habillé, Philippe, vous
trotterez jusqu'au kiosque du coin et vous
m'achèterez le *Daily Mail*. Pendant ce temps-là,
je ferai cuire les saucisses.

— Des saucisses?

— Des saucisses, dit Baines. Nous allons faire la fête, aujourd'hui. Une vraie bamboula. »

Il « fit la fête » au petit déjeuner. Il était agité, facétieux, inexplicablement joyeux et nerveux. La journée allait être longue, longue : il y revenait sans cesse. Depuis des années, il attendait une journée interminable; il avait transpiré dans la chaleur humide de la Côte, il avait changé de chemises, attrapé la fièvre et, gisant entre deux couvertures, il avait transpiré, tout en gardant l'espoir de cette longue journée, du chat qui renifle les grilles, de la brume légère et des paillassons qu'on bat au 63. Il fit tenir le *Daily Mail* debout devant la cafetière et lut tout haut des fragments de nouvelles.

« Cora Down, lisait-il, vient d'épouser son quatrième mari. »

Il s'amusait, mais ce n'était pas seulement comme cela qu'il s'imaginait un jour de fête. Pour lui, un jour de fête, c'était le Parc, regarder les cavaliers passer dans l'allée cavalière, apercevoir Sir Arthur Stillwater passer le long des grilles (il a dîné un jour chez nous à Bo; il venait de Freetown où il était gouverneur). Déjeuner à la Corner House à cause de Philippe (lui-même aurait préféré un verre de bière et des huîtres au York bar), le Zoo, le long retour

en autobus dans le jour d'été déclinant; les
feuilles commençaient à jaunir dans Green Park
et le soleil bas luisait doucement sur les pare-
brise des voitures qui poussaient leurs museaux
hors de Berkeley Street. Baines n'enviait personne : ni Cora Down, ni Sir Arthur Stillwater,
ni même Lord Sandale qui descendait les
marches du Army and Navy Club, puis retournait sur ses pas, car, n'ayant rien à faire, il pouvait aussi bien aller lire un journal de plus.

« J'ai dit : que je ne vous y reprenne plus à
porter la main sur ce Noir. »

Baines avait vécu une vie d'homme; sur l'impériale de l'autobus, tous les voyageurs dres-
saient l'oreille tandis qu'il faisait à Philippe le
récit de cette vie.

« Est-ce que vous auriez tiré sur lui? » demanda Philippe, et Baines, renversant la tête
en arrière, donna à son chapeau foncé de domestique de bonne maison une inclinaison plus
désinvolte, tandis que l'autobus virait autour du
Monument commémoratif de l'Artillerie.

« Je n'aurais pas hésité une seconde. Je l'aurais tué d'une seule balle. » Et comme il lançait
sa fanfaronnade, la silhouette inclinée passa,
avec son casque d'acier, son lourd manteau, le
fusil abaissé, les mains jointes.

« Avez-vous encore le revolver?

— Bien sûr, répondit Baines. Est-ce que ce n'est pas indispensable, avec tous les cambriolages de ces derniers temps? »

C'était le Baines que Philippe aimait : pas le Baines insouciant et qui chantait, mais un Baines conscient de ses responsabilités, au-delà des barrières, et menant une vie d'homme.

Tous les autobus qui débouchaient de Victoria formèrent comme un cortège d'avions escortant Baines en triomphe jusqu'à la maison.

« Quarante Noirs sous mes ordres... »

Près des marches de l'escalier de service, l'attendait la récompense traditionnelle, appropriée, l'amour à l'heure où s'allument les lampes.

« Voici votre nièce », dit Philippe, en reconnaissant l'imperméable blanc, mais sans retrouver le visage heureux et somnolent. Elle lui fit peur, comme un numéro malchanceux; il faillit répéter à Baines ce que Mrs. Baines lui avait dit; mais il ne voulait pas se créer de soucis, il voulait se désintéresser de toute cette affaire.

« Tiens! c'est ma foi vrai, dit Baines. Ça ne m'étonnerait pas qu'elle vienne manger un morceau avec nous. »

Mais il ajouta qu'ils allaient lui jouer un tour, faire semblant de ne pas la connaître et descendre en courant l'escalier de la cuisine :

« Nous y sommes, dit Baines. Nous voilà de retour. »

Il commença à mettre la table, sortit les saucisses froides, une bouteille de bière, une bouteille de limonade gazeuse, un carafon de Bourgogne d'année.

« Chacun sa boisson, dit Baines. Courez en haut, Philippe, pour voir si le facteur est passé. »

Philippe n'aimait pas la maison vide au crépuscule, avant que les lumières l'éclairent. Il se hâta. Il avait envie de se retrouver avec Baines. Le vestibule s'étendait dans l'ombre et le silence, et des choses qu'il ne voulait pas voir se préparaient à en surgir. Des lettres glissèrent avec un froissement et quelqu'un frappa : « Ouvrez au nom de la République. » Les charrettes roulaient, la tête rebondissait dans le panier sanglant. Toc, toc, et les pas du facteur qui s'éloignent. Philippe ramassa les lettres. La fente de la porte ressemblait au guichet d'une devanture de joaillier. Il se rappela un agent de police qu'il avait vu, en train de regarder par l'ouverture. Il avait dit à sa bonne d'enfant :

« Qu'est-ce qu'il fait? »

Et lorsqu'elle avait répondu : « Il regarde si tout se passe bien », son cerveau s'était immé-

diatement empli des images de tout ce qui pourrait se passer mal. Il courut jusqu'à la porte
verte et dégringola l'escalier. La jeune fille était
déjà entrée et Baines l'embrassait. Elle
s'appuyait contre le buffet, essoufflée.

« Voici Emmy, Phil.

— Il y a une lettre pour vous, Baines.

— Emmy, dit Baines, c'est une lettre d'elle. »
Mais il ne voulait pas l'ouvrir. « Tu vas voir
qu'elle revient.

— On peut toujours souper, dit Emmy. Elle
ne va pas nous gâter notre souper.

— Tu ne la connais pas, dit Baines. Rien
n'est à l'abri d'elle. Nom de nom, dit-il, j'étais
un homme, jadis », et il ouvrit la lettre.

« Est-ce que je peux commencer? » demanda
Philippe, mais Baines ne l'entendit pas; il était,
dans son immobilité attentive, l'image même
de l'importance que les grandes personnes
attachent à la parole écrite : on doit remercier
par écrit, sans attendre l'occasion de dire merci,
comme si les lettres étaient incapables de mentir.
Mais Philippe savait à quoi s'en tenir, puisqu'il
avait couvert une feuille de papier de son gri-
bouillage pour remercier tante Alice qui lui
avait envoyé une poupée quand il était trop
vieux pour jouer à la poupée. Oui, les lettres

peuvent mentir et elles donnent de la durée
au mensonge; elles demeurent comme un témoignage contre vous; elles vous font paraître encore
plus déloyal que la parole.

« Elle ne revient que demain soir », dit
Baines.

Il ouvrit les bouteilles, avança les chaises, il
donna encore un baiser à Emmy contre le buffet.

« Tu ne devrais pas, dit Emmy, devant le
petit garçon.

— Il faut qu'il s'instruise, dit Baines, comme
tout le monde. »

Et il servit trois saucisses à Philippe. Il n'en
prit qu'une lui-même; il dit qu'il n'avait pas
faim; mais quand Emmy déclara qu'elle n'avait
pas faim non plus, il se pencha sur elle et la
força à manger. Il était timide et rude avec
elle; il lui fit boire du Bourgogne, parce que
— disait-il — elle avait besoin de se refaire;
il ne voulait pas accepter ses dénégations, mais
ses mains, lorsqu'il les posait sur elle, étaient
à la fois légères et maladroites, comme s'il avait
peur d'abîmer quelque chose de fragile, comme
s'il ne savait pas manier un objet si léger.

« C'est meilleur que le lait et les biscuits,
hein?

— Oui », dit Philippe, mais il avait peur,

peur autant pour Baines que pour lui-même.
Il ne pouvait s'empêcher, à chaque bouchée de
saucisse, chaque gorgée de limonade, de se demander ce que dirait Mrs. Baines si jamais elle
apprenait la vérité sur ce repas; il ne pouvait se
l'imaginer, il y avait chez Mrs. Baines d'inson-
dables profondeurs de colère et d'amertume.
Baines avait dit : « Elle ne rentrera pas », mais
à la façon dont les deux autres le comprirent
immédiatement, il était évident qu'elle n'avait
pas cessé d'être avec eux; elle était là, toute
proche, dans ce sous-sol; elle les poussait à boire
davantage, à parler plus fort, et attendait son
heure pour lancer une parole qui les blesserait
sûrement. Baines n'était pas vraiment heureux :
il regardait le bonheur de près, au lieu de le
regarder de loin, c'est tout.

« Non, dit-il, elle ne sera pas de retour avant
demain soir. »

Il ne pouvait détacher les yeux de son bonheur; il avait couru le guilledou comme tous
les hommes; il faisait toujours allusion à la côte
africaine comme pour s'excuser de son innocence; il n'aurait pas conservé tant d'innocence
s'il avait passé toute sa vie à Londres, tant
d'innocence lorsqu'il s'agissait de tendresse.

« Si c'était toi, Emmy, dit-il en regardant le

buffet blanc, les chaises nettoyées à la brosse, si
c'était toi, on serait bien ici, bien chez soi. »

Et déjà la pièce avait moins de dureté; il traînait un peu de poussière dans les coins, l'argenterie aurait eu besoin d'un coup de torchon, le
journal du matin, abandonné, traînait sur le
dossier d'une chaise.

« Il faut aller vous coucher, Phil, la journée
a été longue. »

Ils ne le laissèrent pas trouver son chemin tout
seul dans la maison pleine de ténèbres; ils
l'accompagnèrent en tournant les commutateurs
électriques sur lesquels leurs doigts se rencon-
traient. D'un étage à l'autre, ils chassèrent la
nuit; ils parlaient à voix basse au milieu des
chaises couvertes de housses; ils le regardèrent
se déshabiller, mais ne l'obligèrent ni à se laver,
ni à se brosser les dents; ils le mirent au lit, allu-
mèrent sa veilleuse et laissèrent sa porte entre-
bâillée. Il les entendit se parler gentiment dans
l'escalier, comme il entendait les invités parler
après les grands dîners, lorsqu'ils descendaient
dans le vestibule et prenaient congé de leurs
hôtes. Baines et Emmy étaient bien à leur place :
partout où ils allaient, ils créaient un foyer. Il
entendit une porte s'ouvrir, une pendule sonner, leurs voix qui ne se turent que longtemps

après, en sorte qu'il sentait leur présence toute
proche, et rassurante. Ces voix ne moururent pas
graduellement, elles se turent tout net; il eut
donc la certitude qu'ils étaient encore là,
quelque part, pas loin de lui, qu'ils étaient
silencieux ensemble dans une des nombreuses
chambres vides et que le sommeil les gagnait
comme il gagnait Philippe après cette longue
journée.

Il eut tout juste le temps de pousser un léger
soupir de satisfaction (car ceci était peut-être
aussi *la vie*), avant de s'endormir et d'être envi-
ronné par les inévitables terreurs du sommeil :
un homme au chapeau tricolore, au service de
Sa Majesté, heurtait à grands coups la porte,
une tête sanglante dans un panier était posée
sur la table de la cuisine, et les loups de Sibérie
se rapprochaient furtivement. Philippe, pieds
et poings liés, ne pouvait faire un mouvement;
les bêtes bondissaient autour de lui en soufflant
bruyamment. Il ouvrit les yeux : Mrs. Baines
était là, ses cheveux gris couvrant en mèches
désordonnées son visage, son chapeau noir de
travers. Une épingle à cheveux tomba sur son
oreiller, une ficelle au goût de moisi lui effleura
la bouche :

« Où sont-ils? chuchota-t-elle. Où sont-ils? »

Chapitre IV

Philippe la contemplait, terrifié. Mrs. Baines était hors d'haleine : on aurait dit qu'elle avait fouillé toutes les pièces vides, en regardant jusque sous les couvertures.

Avec ses cheveux gris en désordre, sa robe noire boutonnée jusqu'au menton et ses gants de coton noirs, elle ressemblait tellement aux sorcières de ses rêves qu'il n'osait pas parler. Son souffle avait une odeur fétide.

« Elle est ici, dit Mrs. Baines, elle est ici, vous ne pouvez pas le nier. »

Son visage était à la fois empreint de cruauté et de souffrance; elle aurait voulu « faire du mal » mais souffrait en même temps. Cela l'aurait soulagée de crier, mais elle n'osait pas : son cri leur donnerait l'alerte. Elle revint doucereusement vers le lit où Philippe, rigide, était étendu sur le dos. Elle murmura :

« Je n'ai pas oublié la boîte de Meccano. Vous

l'aurez demain, monsieur Philippe. Nous avons
des secrets, vous et moi, n'est-ce pas? Dites-moi
un peu où ils sont? »

Il ne pouvait pas parler. La peur le paralysait
aussi sûrement qu'un cauchemar.

« Dites-le à Mrs. Baines, monsieur Philippe,
insista-t-elle. Vous aimez bien votre Mrs. Baines,
n'est-il pas vrai? »

C'en était trop. Il ne pouvait pas parler, mais
il parvint à remuer la bouche pour mimer une
dénégation terrifiée, tout en reculant devant
cette apparition couleur de poussière.

Elle se rapprocha de lui et siffla :

« Fourbe, fourbe. Je le dirai à votre père.
Mais je réglerai votre compte quand je les aurai
trouvés, et il vous en cuira; croyez-moi, il vous
en cuira. »

Puis tout à coup, elle se tut, et prêta l'oreille.
Un plancher venait de craquer à l'étage au-dessous et quelques minutes après, tandis qu'elle
écoutait toujours, penchée au-dessus du lit de
Phil, monta le chuchotement de deux personnes
heureuses et qui s'assoupissent après une longue
journée. La veilleuse à côté de la glace offrit
à Mrs. Baines son propre reflet, une image de
souffrance et de cruauté dansant dans le miroir,
femme poussiéreuse et vieillissante, qui n'avait

plus rien à espérer. Elle sanglota sans larmes :
ce fut un bruit rauque et haletant; mais sa
cruauté était une sorte de fierté qui la soutenait;
c'était sa meilleure qualité sans laquelle elle
n'eût été que pitoyable. Elle quitta la chambre
sur la pointe des pieds, traversa le palier à
tâtons, et descendit l'escalier si doucement que,
derrière une porte fermée, personne ne pouvait
l'entendre. Ensuite, tout retomba dans un
silence profond. Philippe put enfin bouger; il
releva les genoux et s'assit dans son lit; il aurait
voulu mourir. Ce n'était pas juste; un mur se
dressait de nouveau entre son univers et le leur;
mais ce n'était plus cette fois leur allégresse que
les adultes voulaient le contraindre à partager;
la maison s'emplissait d'une passion dont il sentait la présence sans pouvoir la comprendre.

Ce n'était pas juste; mais il devait tout à
Baines : le Zoo, la petite bouteille de limonade
gazeuse, le retour sur l'impériale de l'autobus.
Même le souper lui était une raison d'être loyal
envers Baines. Mais il avait très peur : il touchait là une chose qu'il n'avait encore touchée
qu'en rêve; la tête sanguinolente, les loups, les
coups à la porte : toc, toc, toc! La vie fondait
sur lui sauvagement; s'il refusa de la regarder
face à face dans les soixante années qui sui-

virent, comment pourrait-on l'en blâmer? Il
sortit de son lit; par habitude, il eut soin de
mettre ses pantoufles, et sur la pointe des pieds
alla jusqu'à la porte; il ne faisait pas tout à fait
noir sur le palier de l'étage en dessous parce que
les doubles rideaux étaient partis chez le tein-
turier et que la lumière de la rue entrait par les
grandes fenêtres. Mrs. Baines avait posé la main
sur le bouton de porte en cristal et le faisait
tourner avec précaution. Philippe hurla :

« Baines! Baines! »

Mrs. Baines se retourna et le vit dans son
pyjama, tapi contre la porte; il était sans dé-
fense, plus faible encore que Baines, et sa
cruauté réveillée par cette vue la poussa à gravir
les marches. Le cauchemar s'empara une fois de
plus de Philippe et le paralysa. Il n'avait plus le
moindre courage, il l'avait dépensé pour toujours et on ne lui avait pas laissé le temps d'en
faire une provision nouvelle, par des années de
durcissement graduel; il n'eut même pas la force
de crier.

Mais son premier cri avait fait sortir Baines
de la plus belle chambre d'amis et il alla plus
vite que Mrs. Baines. Elle n'était pas en haut
de l'étage qu'il l'empoigna par la taille. Elle lui
lança ses mains gantées de coton noir au visage

et il lui mordit la main. Il n'eut pas le temps de
réfléchir, il lutta sauvagement contre elle comme
contre un inconnu, mais elle lui rendit ses
coups avec une haine accrue par ce qu'elle
savait. Elle allait leur donner une leçon à tous :
celui par qui elle commençait importait vraiment peu; ils l'avaient tous trompée, mais
l'image de la vieille femme qu'elle avait vue
dans la glace se tenait à son côté, lui rappelant
qu'elle devait être digne; elle n'était pas assez
jeune pour sacrifier sa dignité; elle pouvait le
gifler mais ne devait pas le mordre; elle pouvait
le pousser, mais ne devait pas lui donner de
coups de pied.

L'âge et sa poussière, rien à espérer, tels
furent ses handicaps.

Elle passa par-dessus la rampe de l'escalier
dans un tourbillon de vêtements noirs et tomba
dans le vestibule. Elle resta étendue devant la
porte d'entrée comme un sac de charbon qui
aurait dû descendre au sous-sol par l'entrée de
service. Philippe avait vu. Emmy avait vu.
Emmy s'assit brusquement sur le seuil de la
plus belle chambre d'amis, les yeux grands
ouverts, comme si elle était trop fatiguée pour
rester debout une minute de plus. Baines descendit lentement dans le vestibule.

Philippe s'échappa très facilement; ils l'avaient complètement oublié; il sortit par-derrière, par l'escalier de service, parce que Mrs. Baines était dans le vestibule; il ne comprenait pas pourquoi elle restait étendue là; comme les images mystérieuses d'un livre que personne ne lui avait lu, les choses qu'il ne comprenait pas le terrifiaient. Le monde des adultes occupait toute la maison : il n'était même pas en sûreté dans la chambre d'enfants que le flot de leurs passions avait envahie. La seule chose qu'il pût faire était de s'enfuir, par l'escalier de service, traverser la cour et ne plus revenir. Il ne songea ni au froid, ni au besoin de nourriture et de sommeil; pendant une heure il lui sembla possible d'échapper aux gens pour toujours.

Il arriva au square en pantoufles et en pyjama, mais il n'y avait personne pour le voir. C'était, dans ce quartier élégant, le moment de la soirée où tout le monde est au théâtre ou chez soi. Il passa par-dessus la grille de fer du petit jardin : les platanes étendaient comme des mains leurs larges feuilles pâles entre le ciel et lui. Son lieu de refuge aurait pu être une forêt immense. Il se blottit derrière un tronc d'arbre et les loups s'éloignèrent; il lui sembla que personne ne le

retrouverait plus entre le petit siège de fer et
le tronc d'arbre. Une sorte de joie amère, un
attendrissement sur lui-même le firent pleurer;
il était perdu; il n'y aurait plus jamais de secrets
à garder; il renonçait une fois pour toutes aux
responsabilités. Que les grandes personnes
restent dans leur monde et il resterait dans le
sien, bien en sécurité dans le petit jardin, sous
les platanes. « Dans l'enfance abandonnée de
Judas, le Christ fut trahi »; on eût presque pu
voir les traits encore informes du petit visage
enfantin se durcir et acquérir le profond et
égoïste dilettantisme de l'âge mûr.

Bientôt, la porte du 48 s'ouvrit et Baines regarda dans un sens puis dans l'autre; ensuite il
fit un signe de la main et Emmy apparut; ce
fut comme s'ils étaient arrivés juste pour prendre
un train : pas une minute pour se dire au revoir.
Elle passa aussi vite qu'un visage à la vitre d'un
wagon qui file le long du quai, le visage pâle et
malheureux de quelqu'un qui n'a pas envie de
partir. Baines rentra et referma la porte; la
lumière s'alluma au sous-sol. Un agent fit le tour
de la place en regardant les entrées des maisons.
On pouvait voir, d'après les lumières filtrant par
les rideaux du premier étage combien de familles étaient chez elles.

Philippe explora le jardin; il ne lui fallut pas longtemps : vingt mètres carrés de fourrés et de platanes, deux bancs de fer et un sentier couvert de gravier, une grille fermée au cadenas à chaque bout, un tas de feuilles mortes. Mais il ne put y rester; quelque chose avait remué dans les buissons et deux yeux flamboyants, ceux d'un loup de Sibérie, s'étaient fixés sur lui. Et puis, il pensa que ce serait terrible si Mrs. Baines le trouvait là. Il n'aurait pas le temps d'escalader la grille, elle le saisirait par-derrière.

Il sortit du square par l'extrémité la moins aristocratique et se trouva immédiatement au milieu des boutiques de poissons frits et de pommes frites, des petites salles de billard anglais parmi les meublés borgnes et les hôtels crasseux dont la porte reste toujours ouverte. Il y avait peu de passants parce que c'était l'heure où les débits de boissons ont le droit de vendre, mais une femme en cheveux et dépeignée, qui portait un paquet, l'interpella d'un trottoir à l'autre et le chasseur d'un cinéma l'aurait arrêté au passage s'il n'avait traversé la rue. Il s'enfonça plus profondément dans ce quartier : on pouvait s'y perdre plus complètement que sous les platanes. Aux abords du square, il courait le danger d'être arrêté et ramené à la maison : on

voyait tout de suite d'où il venait; mais à mesure qu'il s'en éloignait, il perdait les marques
de son origine. La nuit était très chaude. On
ne s'étonnait pas, dans ce quartier de vie libre,
qu'un enfant se promenât au lieu de rester au
lit. Il y trouvait une sorte de camaraderie, même
auprès des adultes : ce petit garçon qui passait
si vite pouvait être le fils d'un voisin mais personne n'irait le dénoncer, ils avaient tous été
jeunes. Il ramassait, chemin faisant, une couche
protectrice de poussière montant des trottoirs,
d'escarbilles de charbon venant des trains qui
lançaient des jets d'étincelles en passant derrière
les maisons.

Il fut même pris dans une bande de gosses
qui fuyaient quelque chose ou quelqu'un et
couraient en riant : leur tourbillon l'entraîna, le
fit tourner le coin d'une rue, puis l'abandonna,
lui laissant un bonbon poisseux au creux de la
main.

Il n'aurait pu être plus perdu : mais il man-
qua de forces pour persévérer. Au début, il
avait peur que quelqu'un ne l'arrêtât; au bout
d'une heure, il le souhaitait. Il ne pouvait plus
retrouver son chemin pour rentrer et d'ailleurs,
il avait peur d'arriver seul à la maison : il avait
peur de Mrs Baines, elle ne l'avait jamais tant

effrayé. Baines était son ami, mais il s'était produit quelque chose qui avait donné tout le pouvoir à Mrs. Baines. Il se mit à flâner, afin de se
faire remarquer, mais personne ne le remarqua.
Des familles entières prenaient l'air sur le pas
de leur porte avant de rentrer se coucher, on
avait sorti les boîtes à ordures et il avait sali
ses pantoufles en marchant sur des trognons de
choux. L'air s'emplissait de voix, mais Philippe
était exclu de ce concert; ces gens étaient des
étrangers et désormais seraient toujours des
étrangers; Mrs. Baines était leur symbole et pour
s'écarter d'eux, Philippe se réfugiait dans un
profond esprit de caste. Il avait commencé par
se méfier des agents de police, mais maintenant
il aurait bien voulu qu'un agent le ramenât chez
lui. Mrs. Baines elle-même ne pouvait rien
contre un agent de police. Il se glissa près d'un
gardien de la paix qui réglait la circulation,
mais qui était trop occupé pour faire attention à
lui. Philippe s'assit contre un mur et se mit à
pleurer.

Il n'avait pas songé que c'était le moyen le
plus facile, qu'il n'y avait qu'à capituler, montrer qu'on est vaincu, et accepter la commisé-
ration... elle lui fut prodiguée immédiatement
par deux femmes et un prêteur sur gages. Un

nouvel agent de police fit son apparition : c'était
un jeune homme à l'air vif et incrédule. On
avait l'impression qu'il notait tout ce qu'il voyait
dans un calepin et en tirait des conclusions. Une
femme offrit de ramener Philippe chez lui, mais
le petit garçon n'eut pas confiance en elle, elle
n'était pas de taille à affronter Mrs. Baines étendue immobile au milieu du vestibule. Il refusa
de donner son adresse; il dit qu'il avait peur
de rentrer chez lui. Il obtint ce qu'il voulait :
la protection de l'agent de police qui déclara :

« Je l'emmène au poste. »

Et, lui prenant la main, maladroitement (il
n'était pas marié, il lui fallait monter en grade)
il le conduisit, passé le coin de la rue, par un
escalier de pierre, jusque dans la petite pièce
nue et surchauffée où l'attendait la Justice.

La Justice l'attendait derrière un comptoir de bois; elle était assise sur un haut tabouret et portait de grosses moustaches; elle était bienveillante et avait six enfants (dont trois miochaillons comme toi); elle ne s'intéressait pas vraiment à Philippe, mais elle fit semblant de s'y intéresser. Elle écrivit son adresse dans un livre et envoya un agent chercher un verre de lait. Mais le jeune agent, lui, s'intéressait à Philippe car il avait du flair.

« On a le téléphone chez toi, je suppose, dit la Justice. Nous allons les appeler et leur dire que tu es sain et sauf. Ils te feront chercher bien vite. Comment t'appelles-tu, fiston?

— Philippe.

— Ton autre nom?

— Je n'ai pas d'autre nom. »

Il ne voulait pas qu'on l'envoyât chercher. Il voulait être ramené par quelqu'un qui impres-

sionnerait même Mrs. Baines. Le jeune agent
l'observait, observait la façon dont il buvait le
lait, l'observait quand il tentait d'éluder les
questions.

« Pourquoi vous êtes-vous sauvé de chez vous?
Pour courir les rues?

— Je ne sais pas.

— Ce ne sont pas des choses à faire, jeune
homme. Songez à l'anxiété de votre père et de
votre mère.

— Ils sont en voyage.

— Eh bien, de votre gouvernante.

— Je n'en ai pas.

— Alors, qui s'occupe de vous? »

Cette question frappa droit au but. Philippe
revit Mrs. Baines montant l'escalier pour le cor-
riger, le tas de cotonnade noire dans le vestibule. Il se mit à pleurer.

« Allons, allons, allons... », fit le sergent.

Il ne savait que faire. Il aurait bien voulu que
sa femme fût auprès de lui. Même une femme
de la police aurait été secourable.

« Vous ne trouvez pas que c'est bizarre, demanda l'agent, que personne ne l'ait fait rechercher?

— Ils s'imaginent qu'il est dans son lit.

— Vous avez eu peur, n'est-ce pas, demanda

le jeune agent. Qu'est-ce qui vous a fait peur?

— Je ne sais pas.

— Quelqu'un vous a frappé?

— Non.

— Il a fait un mauvais rêve, dit le sergent. Il a dû croire que la maison brûlait. J'en ai élevé six. Rose va revenir. Elle le ramènera.

— Je veux rentrer à la maison avec vous », dit Philippe au jeune agent. Il essaya de lui sourire, mais il était peu expert à ce genre de feinte et elle échoua.

« Il vaut mieux que j'y aille, dit l'agent. Peut-être qu'il s'est passé quelque chose de louche.

— Pensez-vous, dit le sergent. C'est un travail de femme. Ça ne demande que du tact. Voici Rose. Tirez vos bas, Rose. Vous déshonorez la force publique. J'ai de l'ouvrage pour vous. »

Rose entra, traînant les pieds, ses bas de coton noir retombant sur ses chaussures; elle avait des manières pataudes de « girl guide » et une voix rauque et hostile.

« Encore des putains?

— Non. Il faut que vous reconduisiez ce jeune homme chez lui. »

Elle fixa sur Philippe son œil rond de chouette.

« Je ne veux pas aller avec elle, dit Philippe qui se remit à pleurer. Je ne l'aime pas.

— Allons, Rose, un peu plus de ce charme féminin bien connu », dit le sergent.

Le téléphone posé sur son bureau se mit à sonner : il décrocha l'écouteur.

« Quoi? Comment, comment? dit-il. Numéro 48? Vous avez un médecin? » Il posa la main sur l'embouchure. « Ce n'est pas étonnant qu'on n'ait pas fait rechercher le gosse, dit-il, ils étaient trop occupés. Accident. Une femme est tombée dans l'escalier.

— Grave? » demanda l'agent.

Le sergent lui répondit d'un mouvement silencieux des lèvres. On ne prononce pas le mot : mort, devant un enfant (qui l'aurait su mieux que lui? Il en avait six); on fait des bruits de gorge, des grimaces, toute une sténographie compliquée pour transmettre un mot qui ne compte après tout que quatre lettres.

« Au fond, dit le sergent au jeune homme, il vaudrait mieux que vous y alliez, et que vous me fassiez un rapport. Le docteur y est déjà. »

Rose s'écarta du poêle à pas traînants : joues rouges comme des pommes, bas en tire-bouchon. Elle mit les mains derrière son dos. Sa grande bouche était pleine de dents noires, comme une morgue l'est de cadavres.

« Vous me dites de l'emmener et maintenant, parce qu'il y a quelque chose d'intéressant... C'est pas que j'attende de la justice de la part d'un homme...

— Qui est dans la maison? demanda l'agent.

— Le maître d'hôtel.

— Est-ce que vous ne croyez pas, dit l'agent, que quelqu'un a vu...

— Fiez-vous à moi, dit le sergent. J'en ai élevé six. Je les connais de fond en comble. On ne peut rien m'apprendre de nouveau sur les enfants.

— Il a l'air d'avoir subi un choc.

— Des cauchemars.

— Le maître d'hôtel s'appelle?

— Baines.

— Ce Mr. Baines, dit l'agent à Philippe, vous l'aimez bien, n'est-ce pas? Il est gentil avec vous? »

On essayait de lui faire dire des choses; il se méfiait de tous les gens qui l'entouraient dans cette pièce. Il répondit : « Oui » sans conviction, parce qu'il avait peur de se trouver tout à coup chargé de nouvelles responsabilités, de secrets nouveaux.

Ils tinrent conseil près du bureau. Rose se plaignait d'une voix rauque. Elle était comme une personnification de la femme et défendait sa féminité avec une exagération artificielle, tout en montrant qu'elle la méprisait au moyen de ses bas mal tirés et de son visage sans fard, exposé à tous vents. Le charbon de bois croulait dans le poêle; la pièce était surchauffée par cette tiède soirée de fin d'été. Une affiche collée au mur donnait la description d'un cadavre qu'on avait repêché de la Tamise, ou plutôt des vêtements du noyé : tricot de laine, caleçon de laine, chemise de laine rayée bleue, chaussures taille dix, costume de serge bleue, usé aux coudes, col de celluloïd. On n'avait rien trouvé à dire de particulier sur le corps, sauf ses mesures, c'était un corps ordinaire.

« Venez », dit l'agent de police.

La chose l'intéressait, il était content d'aller faire le constat, mais ne pouvait se garder d'être un peu gêné par son compagnon : ce petit garçon en pyjama. Il avait flairé quelque chose, il ne savait au juste quoi, mais l'amusement des passants lui était pénible : les cabarets avaient fermé leurs portes et les rues étaient de nouveau pleines d'hommes qui prolongeaient la journée tant qu'ils pouvaient. Il suivit d'un pas

rapide les rues les moins fréquentées, choisissant
les trottoirs les plus sombres, refusant de ra-
lentir son allure, tandis que Philippe essayait de
le retenir à mesure qu'ils approchaient, en se
faisant tirer et en traînant les pieds. Il redoutait
la vue de Mrs. Baines qui attendait dans le vestibule : maintenant, il savait qu'elle était morte.
Les torsions de bouche du sergent le lui avaient
appris; mais elle n'était pas enterrée; on ne
l'avait pas fait disparaître. Quand la porte s'ou-
vrirait, il allait voir une personne morte étendue
dans le vestibule.

Le sous-sol était éclairé et, à son grand soulagement, l'agent de police se dirigea vers les
marches de service. Peut-être, après tout, ne
verrait-il pas Mrs. Baines. L'agent frappa, parce
qu'il faisait trop noir pour voir la sonnette et
Baines vint ouvrir. Il se dressa sur le seuil de la
cuisine nette et brillante du sous-sol et l'on put
voir la phrase triste, plausible, satisfaisante qu'il
avait préparée se figer lorsqu'il aperçut Philippe;
il ne s'était pas attendu à voir Philippe revenir
ainsi, escorté par un agent. Il lui fallut remettre
tout en question. Ce n'était pas un homme hypocrite; s'il n'y avait pas eu Emmy, il aurait été
prêt à laisser la vérité le conduire où elle vou-
drait.

« Mr. Baines? » demanda l'agent.

Il répondit d'un signe de tête. Il ne trouvait pas les mots qu'il fallait; il était décontenancé par le visage clairvoyant et entendu, autant que par la brusque apparition de Philippe.

« Ce petit garçon habite ici?

— Oui », dit Baines.

Philippe devinait que Baines essayait de lui transmettre un message, mais son esprit refusa de le recevoir.

Il aimait Baines, mais Baines l'avait entraîné dans des secrets et des appréhensions qu'il ne comprenait pas. La pensée flamboyante du matin « Ceci est vivre » était devenue, à l'école de Baines, cet affreux souvenir : « Ceci était la vie », les cheveux à l'odeur de moisi frôlant votre bouche, la question torturée, haletante et cruelle : « Où sont-ils? », le tas de cotonnade noire basculant dans le vestibule. Voilà ce qui arrivait quand on aimait; on était entraîné dans des complications; et Philippe se libéra de la vie, de l'amour, de Baines, avec un égoïsme impitoyable.

Il y avait eu des choses entre eux, mais il les supprima, comme une armée qui bat en retraite coupe les fils télégraphiques et fait sauter les ponts. Il se peut que dans le territoire qu'on

abandonne on laisse bien des choses chères :
une matinée dans le Parc, une glace chez le
marchand du coin, des saucisses pour le souper
— mais il y a dans la retraite des intérêts plus
grands que ces pertes temporaires. Au moment
où les tracteurs se mettent en marche, des
vieilles gens implorent qu'on les emmène, mais
vous ne pouvez à cause d'eux mettre en péril
votre arrière-garde : une longue et totale retraite, loin de la vie, des soucis, des relations
humaines, est en jeu.

« Le docteur est ici », dit Baines. Il montra
du menton l'intérieur de la pièce, humecta ses
lèvres, les yeux toujours fixés sur Philippe,
comme un chien qui supplie et qu'on ne com-
prend pas.

« Il n'y a plus rien à faire, ajouta-t-il. Elle a
glissé sur les marches de pierre de cet escalier
du sous-sol. J'étais ici. Je l'ai entendue tomber. »

Il essayait de ne pas regarder le calepin où
l'agent, d'une minuscule écriture en pattes de
mouche, notait une énorme quantité de choses
sur une seule page.

« Le petit garçon a-t-il vu quelque chose?

— Il n'a pu rien voir. Je le croyais dans son
lit. Ne vaudrait-il pas mieux qu'il aille se coucher? C'est une chose affreuse.. Oh! dit Baines,

en perdant complètement la tête, c'est une chose
affreuse pour un enfant.

— Elle est par là? demanda l'agent.

— Je ne l'ai pas déplacée d'un centimètre,
dit Baines.

— Alors, il vaudrait mieux qu'il...

— Remontez dans la cour d'entrée et passez
par le vestibule », dit Baines, le visage empreint
une fois de plus de cette supplication muette de
chien : encore un secret, garde ce secret, fais
cela pour le vieux Baines, il ne te demandera
plus rien.

« Allons, venez, dit l'agent. Je vais vous
accompagner jusqu'à votre chambre. Vous êtes
un petit monsieur, il faut passer par la grande
porte, comme le maître de la maison. A moins
que vous n'alliez le mettre au lit, Mr. Baines,
pendant que je parle avec le docteur. »

Il traversa la pièce pour s'approcher de Philippe, suppliant, suppliant chemin faisant, de
son visage doux et stupide, que Philippe connaissait bien : « Voici Baines, le vieux colonial, que
diriez-vous d'un rata à l'huile de palme, hein?...
une vie d'homme, quarante nègres, jamais tiré
un coup de fusil; je vous le répète, je ne pouvais
pas m'empêcher de les aimer; ce n'est pas ce
que nous appelons de l'affection, c'est une chose

que nous ne pouvons pas comprendre. » Les messages lumineux s'éteignaient aux derniers postes frontières, ils étaient suppliants, implorants et ils évoquaient des souvenirs : « C'est Baines, votre vieil ami; un petit casse-croûte de onze heures? un verre de limonade gazeuse ne vous fera pas de mal; saucisses; une longue et bonne journée. » Mais les fils télégraphiques étaient coupés, les messages allèrent se perdre dans l'énorme vide de la pièce rigoureusement propre dans laquelle il n'y avait jamais eu de place où un homme pût cacher ses secrets.

« Allons, venez, Phil, c'est l'heure de dormir. Nous allons repasser par la rue... (Tap, tap, tap, le télégraphe; le message passera peut-être, qui sait, qui sait? peut-être quelqu'un a-t-il réparé le fil qu'il faut.)... Et nous entrerons par la grande porte.

— Non, dit Philippe, non. Je ne veux pas. Vous ne pouvez pas me forcer. Je me débattrai. Je ne veux pas la voir. »

L'agent se retourna sur eux d'un seul coup :

« Qu'est-ce que c'est? Pourquoi ne veut-il pas y aller?

— Elle est dans le vestibule, dit Philippe. Je sais qu'elle est dans le vestibule. Et elle est morte. Je ne veux pas la voir.

— Vous l'avez donc déplacée? dit l'agent à Baines. Vous l'avez descendue jusqu'ici? Et vous avez menti, hein? Cela signifie que vous avez fait de l'ordre... Etiez-vous seul?

— Emmy, dit Philippe, Emmy. »

Il n'allait plus garder de secrets. Il allait en finir une fois pour toutes avec tout : avec Baines, Mrs. Baines et la vie adulte qui le dépassait; cela ne le regardait pas et jamais, jamais plus, décida-t-il, il ne partagerait leurs confidences et ne rechercherait leur compagnie.

« Tout ça c'est la faute d'Emmy », dit-il d'une voix chevrotante qui rappela à Baines que ce n'était après tout qu'un enfant; il était fou d'attendre une aide d'un enfant qui ne comprenait pas ce que ceci signifiait et qui n'avait pas pu lire l'alphabet morse de sa terreur; la journée avait été longue pour Philippe et il tombait de fatigue. On voyait bien qu'il dormait debout, appuyé au buffet, et qu'il retombait dans la paix rassurante de la nursery. On ne pouvait pas lui en vouloir. Quand il se réveillerait le lendemain matin, il aurait tout oublié, ou peu s'en faut.

« Parlez maintenant, dit l'agent s'adressant à Baines avec une férocité professionnelle, qui est-elle? » Et c'est ainsi que, soixante ans plus tard, le vieil homme surprit sa secrétaire qui veillait seule à son chevet, en demandant : « Qui est-elle? Qui est-elle? » tout en sombrant peu à peu dans la mort, ayant peut-être dans sa chute retrouvé au passage l'image de Baines : Baines sans espoir, Baines laissant retomber sa tête. Baines qui « se mettait à table ».

BRODARD ET TAUPIN — IMPRIMEUR - RELIEUR
Paris-Coulommiers-La Flèche. — Imprimé en France.
8163/2-4 - Dépôt légal n° 7250. 2ᵉ trimestre 1968.
LE LIVRE DE POCHE - 6, avenue Pierre Iᵉʳ de Serbie - Paris.
30 - 11 - 0046 - 15

30/0046/0